W9-DGC-719

Eva Strittmatter

Mai in Piešťany

Aufbau

Für Erwin

Die Liebe wird flau,
der Mut will sich schonen,
das Alter sprengt mir die Schädelnaht.
Es naht die gefährlichste der Amortisationen,
die Amortisation der Seele naht.

Majakowski

Ich gedenke meiner Jugend und des Gefühls,
das nie mehr wiederkehrt, des Gefühls,
ich könnte ewig leben,
das Meer überdauern,
und die Erde,
und alle Menschen.

Joseph Conrad

I

Zimmer 230 hat jetzt einen Schreibtisch, im Vorjahr gab es nur einen sogenannten Couchtisch und zwei charakterlose Sessel. Man saß, wie manchmal bei öffentlichen Lesestunden, mit eingezwängtem Zwerchfell und konnte nicht atmen. Das drückt ja aufs Herz, auf die Lunge. Nun sind alle Räume wieder in Jugendstil gebracht – weiße Schleiflackmöbel mit Samt- oder Damastbespannung – die Tischplatte, die meine, mit dunkelbraunem Rippensamt belegt, auch die Vorderseiten der Fächer, in weißen Rähmchen, mit Samt bespannt und mit Goldknöpfen zum Aufziehen versehen. Über der Tischplatte eine Glasscheibe zum Schutze des Samtes, das geht an, ist aber kalt und schlecht für die rheumatischen Arme. Auf dem Tisch, der ein Meter mal fünfzig Zentimeter mißt, steht ein Radio, nimmt Platz, auch das geht noch an, was nicht angeht: der Schreibtisch ist in Wahrheit ein Frisiertisch, ein Schreib-Frisier- oder Frisier-Schreibtisch, und hat einen Aufbau, eine geschwungene, über dem Tisch aufragende Rückwand in schöner Proportion, wie überhaupt alles Möbel, das dreiseitig samtumfangene Bett, Nachtkasten, Stuhl und Sessel, den Originalmöbeln von 1912 nachgebaut und *edel* ist – aber in die Rückwand des Schreibtisches, in seinen Aufbau, ist ein runder Spiegel eingelassen. Und der geht nicht an, ist unerträglich für jemanden, der schreibt, schon für einen, der ein Buch wie den »Joseph«-Roman liest, ist er zuwider, aber beim Schreiben ist er unmöglich.

Wenn ich mich im Spiegel schaun muß, stellt sich mir sofort die Existenzfrage, die Sinnfrage, die hier sowieso auf Lauer liegt: wozu leben – um so eine sechsundsiebzigjährige geschwätzige Alte zu werden wie die Grazerin an unserm Tisch unterm Musikantenbaldachin, dem Pracht- und Ehrentisch des Speisesaales an der Mitte der hinteren Saalwand, unterm Spiegel, (auch wieder unterm Spiegel), aber ich sitze ihm abgewendet vorm Gitter des kaschierten Kamins, auf dessen Marmorsims die drei *lesbischen* Jungfrauen (Büsten) einander umfangen? Die ewig latente *Sinnlosigkeit* hat mich hier ständig *beim Wickel,* so sichtbar sind die Kreisläufe, das Kommen, Gehen, Vergehen, die Austauschbarkeit: man weiß, daß es sehr gut ohne einen ginge. Hier dreht sich das *Karussell* so deutlich, das *Fließband* läuft ohne Anhalten. Die Begrüßung wie jedes Jahr: »Schön willkommen, wie geht es?« (der Herr Primarius) »Küß die Hand, gnä Frau!« (der Portier) Das Ritual von An- und Abreise, Untersuchung, Frage- und Antwortspiel, die Mechanik der Abläufe bei den *Anwendungen,* die zagen Versuche zu *Nebengesprächen,* die das Geschäftsmäßige der Beziehungen auflösen und ins *Menschliche* führen sollen: Die eine der beiden Elektro-Therapeutinnen hat einen zweiten Enkel, das erste Enkelkind, ein Mädchen, kennen wir vom Ponyreiten im heruntergekommenen Kleinzirkus. Des Herrn Primarius älterer Pudel ist nun zwölf, wurde dreimal operiert und verliert die Zähne (»Genauso ein alter Kerl wie ich!«). Der jüngere Pudel, jetzt fünf, übernimmt allmählich die Herrschaft im Haus. Der angeheiratete Enkel, den der ältere Sohn des Herrn Primarius, auch er Arzt wie Vater und Bruder und schon über dreißig, mit einer ganz jungen Braut vor drei Jahren übernahm, ist, neben den Pudeln, *die* Liebe des Chefs. »Erste Klasse«, sagt er von ihm, »so ein Kind!« Schmerzlich sein Lächeln, schön, – er sieht viel älter aus, als er ist, vor fünf Jahren dachte ich: »Warum arbeitet er noch mit siebzig?« Aber heuer wird er erst sechzig. Nun fehlt Schwester Joschka, seine Sprechstundenhilfe, die uns jedes Jahr mindestens einmal auf dem Zimmer besuchte, wenn sie Nachtdienst hatte, und von ihren Kindern erzählte: »Meine Greti, meine Greti, meine Greti ...« Jetzt ist sie in Pension und bei Greti in Bratislava. Ihr Haus in Moravany steht leer, die Gräber der Eltern »Manželka Amalia und *er*« warten auf sie. Eilig wird sie kommen, Unkraut raufen, gießen, ein paar haltbare Blumen pflanzen, beileibe keine großen Begonien, die Knollenbegonien brauchen viel Pflege, – Eisblumen, die kleinen Begonien, vielleicht Petunien, – wir haben die Bilder der Alten gesehen, die Fotos in Porzellaneinfassungen unter Glasstürzen, »Mein Vati war gräflicher Förster, und meine Mutti hat alles selber gemacht, wir hatten Wirtschaft, Kühe und Schafe und Schweine und Gänse und Ziegen und Bienen und Gäste, Gäste! Damals war eine andere Zeit ...« Und wir dachten immer, Joschka wär Witwe, aber ihr, der mit sechzig noch schönen Frau, war der Mann in jungen Jahren entlaufen ...

Den Spiegel habe ich also verhängt mit einem roten Seidentuch – aus der Literatur weiß ich, wie ich so vieles aus der Literatur weiß, daß man die Spiegel mit schwarzen Tüchern verhängte, wenn ein Toter im Haus war – es ist ja kein Toter bei mir im Haus, im Zimmer, aber ich sympathisiere nicht mit mir, kann mein Gesicht nicht sehen, aus dem mich jetzt so oft die Gesichter meiner *Altvorderen,* der Tanten, Mutter, Großmütter, anschaun. Ich will es nicht wissen, wenn ich es auch weiß, so wie ich nicht hören will, was ich höre, daß meine Stimme oft die meiner Mutter ist. Ich kämpfe verzweifelt (soll ich es sagen, ist es nicht doch übertrieben, beides: das Kämpfen und das Verzweifeln?) um *Unterscheidung.* Ich will nicht wie sie sein, wenn ich es auch bin.

Es kann doch nicht sein, daß das alles zu nichts war: denken, lesen, schreiben – nur um eine auf ihre Existenz beschränkte Alte zu werden, die für das Wohl ihrer Kinder und Kindeskinder sorgt? Das *Typische,* das *Normalverhalten* wird hier so grauenhaft deutlich. Jeder schreibt Briefe nach Haus, hat das Gefühl von Leistung, von Befriedigung, wenn er den *Seinen* mitgeteilt hat, daß er angekommen ist, zu baden begonnen hat, daß er wie üblich »mit allen Bequemlichkeiten« wohnt, daß ihm das Essen mundet und er schon bei der Blasmusik war ... Jeder hat Fotos der Familie bei sich und sucht Gelegenheit, sie zu zeigen ... So die alte Grazerin an unserem Tisch, die sieben Kinder hat und sie am Foto erklärt: »Der Älteste ist Architekt, die Tochter Schauspielerin, hier sind amal alle zamm, die andere Tochter war neun Jahr in Neuseeland, dann zwei Jahr in London, jetzt ist sie bei mir, heuer wird sie siebemvierzig, ich bin ihre Familie, sagt sie, der eine Sohn ist auch ledig.«

Das erklärt sie zum Nachbartisch hinüber, an dem auch Österreicher sitzen, ein militärisch aussehender, straffer Herr von Endfünfzig mit zwei Damen, deren eine das Gelach unserer Moskauer Nadja hat, das kataraktartige, leicht sinnleere Gelächter, sie will die Alte aus Graz foppen, ironisieren, aber das brauchts nicht, das tut sie selber, so ist sie der *seltene Fall.* Selbstironie ist ja eine Rarität, ein *Original,* und so eine Alte könnte oder wollte ich vielleicht gar werden. Sie genießt das Leben, schwatzt, macht sich lustig über ihre Furchtsamkeit, was die Technik des Reisens betrifft: »Wenns nach mir ging, wär Amerika noch nit entdeckt!« Mit den Kellnern redet sie etwas, was sie *Mährisch* heißt: »Joschka, daite jedna piva, aufmachens glei!« Das hat sie von den *Saisonarbeitern,* slowakischen, die sie daheim hatten, »die Leut warn ja so arm, die bliebm bis im Novembr, bis die Rübm raus warn, mei letztes Mäderl war auch a Slowakin, die hat a Kind kriegt von an Slowaken, der nach Graz dienstverpflicht war« (also in der großdeutschen Herrschaftszeit über die Slowakei), »da hab i mi erkundigt in sein Heimatdorf, da war er verheirat und hatte zwei Kinder, das gehört sich doch net, a Landsmännin in der Fremdn sowas antun! Na, sie hat am drankriegt nacher und ausgnomm. Wie i 's erste Mal nach hier komm bin, vor fumfzehn Joahr, hats mi besucht und hat noch gwußt, daß i Sonnblumkern moag und an Most und hats mer bracht ...«

Die Alte ist also vom Lande, Gutstochter, Bauerntochter, sie fragt die zweite Alte am Tisch, eine vergleichsweise Zarte, Zurückhaltende, Überhöfliche: »Wo sans her?«

»Aus Merseburg an der Saale, das ist in der DDR, nicht wahr, seit neunzehnhundertfünfzig in München, mein Mann war Münchner.«

Die Grazerin: »Merseburg? Da warn doch die ...«

Die Ex-Merseburgerin: »Aber das weiß doch fast keiner – die Zaubersprüche!«

Uns hatte sie schon nach unseren Kenntnissen abgefragt und erzählt, daß die Franzosen nach dem ersten Weltkrieg die Merseburger Zaubersprüche, die Uta von Naumburg und die Quadriga vom Brandenburger Tor als Reparationen haben wollten... Wenn ich denke, wie verzückt Guillevic, der Dichter, in die Uta war, wie ich ihm Bücher um Bücher von Naumburg und der Uta nach Paris geschickt habe, um seiner Liebe zu dienen, dann lächelts mich nur halb bei der Erzählung der zeremoniösen Merseburger Münchnerin. Aber woher weiß die Grazerin von den Sprüchen? »Hab halt doch manchmal was glernt in der Schuln, vor allem, wie i in Rodaun, das is bei Wien, im Internat war, das ist so wie Sacré-Cœur, zhaus hat mer halt nix tan, aber da warn Arbeitsstundn, da mußt mer.«

Die Alte im zeitlosen schwarzen Tuchkleid, mit

Perlenschnur um den Hals, Perlen in den Ohren, Mittelscheitel, Haarknoten, großem geprägtem, aber unentzifferbarem Silberring – klein, behende, verschmitzt, mit schwarzem Gehstock – erinnert mich plötzlich an Madame de Villeparisis' erstes Auftreten in Balbec, jenem Proustschen Glücksort am Meer, die fürstliche, leicht fehlgetretene Dame, die daherkommt wie eine Kleinbürgerin, in Wahrheit aber die geheime Herrin nicht nur des Hotels der wehenden Vorhänge an den zum Meere offenen Fenstern im Speisesaal mit den gleißenden Tischen in Weiß und den vor Stärke knirschenden Servietten ist, sondern die Schlüsselfigur zum Geheimnis der großen Welt... So könnte auch meine Alte sein, die Adlige meiner Kindheit, Fräulein von Bassewitz aus unserer Prinzenstraße zwei in Neuruppin, war auch nur ein unscheinbarer Schatten... Ihr Mann, sagt die Alte, war Diplomingenieur und Landwirtschaftsrat. Was soll das sein?

Heut hat die Alte Besuch gekriegt und ist dann verreist. Tagelang war schon davon die Rede, sie hat Verwandte hier, die *slowakisiert* sind, versippt und verschwägert. Eine Nichte, schon in Pension, und deren Schwiegersohn, Slowake, der, scheints, nicht deutsch spricht, essen mittags mit uns am Tisch. Die Alte erklärt: Der Schwiegersohn der Nichte ist ein berühmter Flieger. Der berühmte Flieger hat eine Narbe an der linken Schläfe und dunkle, wie *verhangene* Augen, ein freundlicher Mensch. Er ist, – das ist sein Ruhm –, der einzige Überlebende jenes Flugzeugabsturzes bei Bratislava vor vier Jahren, bei dem zweiundvierzig Menschen umkamen und der uns so erschreckte: Schließlich fliegen *wir* auf der Strecke! Immer ist es ja so. So die Hemmung, nach Jugoslawien zu fliegen, nach jenem Monsterunglück von Zagreb, wo man doch jedes Mal in Zagreb zwischenlanden muß, wenn man nach Sarajevo, Skopje oder Belgrad will. Aber auch in Adler, dem Flughafen von Gagra und Sotschi, gab es schon Katastrophen und in Moskau, und was war mit Schönefeld, mit der Maschine, die an Erwins sechzigstem Geburtstag abstürzte? Also muß mans vergessen, verdrängen. Wieviel Autounfälle hats nicht gegeben, und immer wieder befährt man die Straßen ... Aber wie lebt dieser Mann nach diesem Überleben? Er ist *Pensionist*, sagt die Alte, jetzt holt er sie mit dem Auto ab zur slowakisch-deutsch-österreichischen Sippe, da gibts Kinder, für die sie gekauft hat: Einen Fisch auf vier Rädern, den sie mit zu Tisch brachte, und den sie noch einmal kaufte, weil er ihr selbst, scheint es, so sehr gefällt. Sie fragte die Nichte beim Essen nach Namen und Alter der Sippenkinder, hats vergessen, durcheinandergebracht, nun scheinen die Fische nicht zum Alter der Kinder zu passen, sie wird aufgeregt, kann die Brille, das Zeug nicht zusammenfinden und das *Packerl* mit Essen, das die *Küche* ihr mitgibt. Sie hats genau verrechnet: zwei Essen haben die Verwandten verzehrt von ihrem Abonnement, nun noch das *Packerl*, sie hat auch schon Butter gekauft, das halbe Kilo um zwanzig Kronen, ein Drittel vom Preise daheim, neun Herrentaschentücher (»mehr hattens nit da«) und sechs Servietten (»ganz feste, von Leinen«), Eis um siebzig Heller – alles rechnet sie vor in Kronen und um in Schilling. Die Merseburgerin rechnet von Kronen in D-Mark. Das ist eine Wissenschaft, mathematisch-ökonomische Kollegien werden gehalten bei Tisch, während wir unsere Suppe löffeln, hellhörig, Späher des Lebens wie immer.

Keine Eintragungen vom *Menschlichen* in den letzten Tagen, weil das Menschliche mich wiedereinmal – zum dritten Mal seit November – überkam, einholte: Ein Infekt, aufgefangen von wem? Vielleicht von jenem Mann, der uns am ersten Abend, beim ersten Erkundigungsgang durch den Park, Richtung Bauplatz »Balnea«, grüßte: »Ich bin der Optiker, der Ihrem Sohn Ilja die erste Brille gemacht hat ...« Herr N. aus Neuruppin, er ist aber nicht Neuruppiner, sondern, beinah schon *klassisch* für einen Optiker, Rathenower, und einmal, vor einem halben Leben, war ich mit Ilja in seinem Laden, der gleich um die Ecke der Prinzenstraße, jetzt Robert-Koch-Straße, in der Hauptstraße liegt, die wohl seit fünfunddreißig Jahren Karl-Marx-Straße heißt: Die Standardstraßennamen der Städte durch die Epochen, ihr Wechsel, ein interessantes Kapitel.

Erwin, der Vater, ist in Spremberg in so einer Straße geboren. Immer dieselbe Straße, immer anders benannt. Aber diese hier, in meiner Kindheitsstadt, hieß, für uns jedenfalls, nur *Große Straße.* Und so verständigt sich die Mutter auch heute mit mir und mit andern wohl auch: »In der Großen Straße ...«, aber im übrigen kenne ich meine Heimatstadt nur *visuell,* ich kann mich erinnern an ihre Topografie, an Geruch, Geräusch, Geschmack in Hitze und Kälte, Milde und Strenge, aber wenn mir jemand daherredet von ihr, bin ich wie der Idiot, der nie wußte, in welcher Straße er wohnt. Alles heißt anders. Vielmehr alles Wichtige, Hauptsächliche heißt anders. Daß die Adolf-Hitler-Mittelschule und das Friedrich-Wilhelm-Gymnasium anders heißen, versteht sich, und daß König Friedrich Wilhelm nicht mehr auf dem Denkmalspferd reitet, das Fontane beschrieben hat und von dessen Sockel herab jener Röhm, als ich dreijährig war, die Neuruppiner begrüßte (begeisterte) und daß natürlich dort heute Karl Marx steht – inmitten von Blumenrabatten und schüchternen Wasserspielen, vor dem Schuhgeschäft Schuh, dessen Inhaber einst Offizier war ... Ich sah ihn mit junger *Gattin* aus der *berühmten* Neuruppiner Kaufmannsfamilie der Klünder, die Gattin mit leicht vorstehenden Zähnen, entsprechender Oberlippe, Brille, keine Schönheit, lustwandeln in Uniform im Tempelgarten zu Neuruppin, im Sommer vor Ende des Krieges. Da war ein Konzert, vielleicht haben wir Kinder der Zeit es selber gesungen – die alten Madrigale von »Innsbruck, ich muß dich lassen« bis »Wie schön blüht uns der Maien ...« – Unser Chor wurde vom Jungvolk und Jungmädchenbund unterhalten, aber der einarmige Musiklehrer, der ihn leitete (Kriegsinvalide in Uniform, brauner Rock, schwarze Hose), sang mit uns keine Kampflieder. Das letzte Werk, das wir studierten, als alle Schulen schon Lazaretts waren und wir keine Aula mehr fanden zum Üben, nur noch eine Scheune beim alten Friedhof am Rande der Stadt, war

Mozarts »Ave verum«, und immer kam Fliegeralarm in jenen Märztagen fünfundvierzig, und wir rannten in den Keller der nahen Brauerei, ein herrlich hallendes Gewölbe, wie sich denken läßt, voller Menschen, die Schutz suchten, und dort sangen wir weiter unser »Ave verum« und hofften, die Welt würde nicht untergehen und die Russen würden nicht kommen ...

Die Russen kamen, die Welt ging nicht unter, aber der Junge, der Begabteste von uns, der *Hansi* hieß und ging mit mir oder ich mit ihm, der erste, den ich kannte, er verging in diesem Nicht-Untergang. Er gehörte zu den Jungs, die jener General Schörner vor Berlin den Russen *entgegenwarf*, und er schleppte sich, mit einer Kopfwunde, nach Berlin, einen Kanten Brot und den verbotenen »Nathan« in der Tasche seiner schwarzen Hitlerjugend-Uniform, den »Nathan«, den wir miteinander in einem kleinen Kreis von *Kunstlieblingen*, hinter verschlossenen Türen, gelesen hatten. Und in Berlin lebte der Junge, in einem Waschhaus versteckt, sechs Wochen seinem Tode entgegen und liegt in Spandau begraben ...

Nie, seit dreißig Jahren, hat mir die Erinnerung an ihn, Hans-Georg Deichmann, eines Juristen nachgelassener Sohn, Sohn christlich-gläubiger Leute, aus einer Familie, die viel zu *hoch* war für mich – nie hat mir die Erinnerung an ihn so das Herz bedrückt wie jetzt, da mein jüngster Sohn siebzehn wird und ich ihn ansehe und denke: ein Kind, und so alt wie dieses Kind war der Sohn einer anderen Mutter und eines Mädchens erster Geliebter, als er starb ...

Das Leben rührt mich, wie es vergeht – ich sehe drauf und weiß: es hat keinen Sinn als den, daß es *ist.* Und ist mir unheimlich zumut, da so viele Menschen und Bilder in mir sind oder Orte und Menschen und Geschehnisse als Bilder in mir sind, daß es mir weh zu tun beginnt innen, als wär nicht mehr Raum für alles hinein ...

Als dieser Optiker N. uns ansprach am immer leicht gesteigert empfundenen ersten Abend in P., erinnerte ich mich, wie wir Ilja zum ersten Mal mit der Brille sahn.

Damals warn alle Kinder bei meiner Mutter in Neuruppin, wir kamen aus Brandenburg, es war November, zu jener Zeit war im November »Woche des Buches«, wir hatten im »Fontaneklub« in Brandenburg einen *Lese-Abend* gehabt, das heißt, nicht ich, Erwin hatte gelesen, ich war nur *dabei gewesen,* es war »Bienkopp«-Zeit, das Buch gerade heraus, und um nach Schulzenhof zurückzukommen, mußten wir Neuruppin durchfahren, und wir fuhren die *Große Straße* entlang und am *Rheinsberger Tor* vorbei, und neben dem *Rheinsberger Tor,* dem Bahnhof, auf dem sich Liebe und Tod zusammenzogen für mich, wandelte ein Junge im grauen Fischgratmantel und schob einen Kinderwagen vor sich her, und dieser im kalten Novemberabend *wandelnde* Junge trug eine Brille mit dunklem Rand und war mir einen Augenblick fremd und war doch mein Sohn und war zwölf Jahre alt damals und schob seinen jüngsten Bruder, der fünf Monate hatte, vor sich her, spazierte mit dem Brüderchen, während die Eltern, heimgekehrt von keiner Triumph-Fahrt, o nein, sondern erschöpft von den bestandenen und bevorstehenden Kämpfen für das Buch, vorbeireisen wollten an ihren Kindern. Sie wollten nicht einmal einschaun bei der Großmutter, weil sie Heimverlangen und Weinen fürchteten und weil sie weiter mußten, neuen *Terminen,* neuen Auseinandersetzungen entgegen ...

Nun aber ging da der Sohn, ganz gesetzt, mit seiner Brille einher, das Brüderchen hütend, und ich stieg aus und redete ihm und legte die Blumen, die es für den Schriftsteller, trotz allem, wie immer gegeben, und die er mir, wie immer, überlassen hatte, dem Kinde aufs Federbett. Wegen der Abendkühle konnte ich das Kind nicht herausheben, konnte nur mit dem Finger fühlen am hellen Gesicht und ihm lächeln. Traurige Stunde Lebens, nie, solange ich atme, werde ich sie verschmerzen, nie wird sich das schließen in mir: ich habe die Kinder von mir gelassen für das, was kommen sollte, die Erfindung des Nichts, des blauen Rauches, der Kunst ...

Damals hatte ich begonnen, Gedichte zu schreiben, aber sonst war ich Gehilfe eines anderen und lernte dabei das meine, nämlich, daß es ums Leben geht, wenn man schreibt, daß Kunst aus keiner andren Substanz gemacht wird als der, die sich selber verzehrt...

Vor zwei Jahren im Mai und im Vorjahr – seit sechs Jahren immer der Mai in Piešťany – erst denkt man: nur ein Mal, dann: nur vorübergehend, und schließlich war es das Leben – las ich Proust. Im ersten Jahr hatte ich nur drei Bände mit, das waren zu wenig, ich begann sofort wieder beim ersten, im Vorjahr las ich die restlichen vier. Getränkt, gesättigt von Farben, Geschmack, Geruch, eine *Sensation* war wieder das Leben – und dieses Jahr, am ersten Abend in P., sagt der Optiker, er liest Proust. Er verwendet Worte wie entzückend, reizend, hübsch, und das *Geheimnis* steht neben uns unter der Pappel, ein Kind, das man kränkt in der Seele und weint …

Immer wieder kommt dieses Verwundern, Stutzen, das Selbstüberprüfen: wie kann es sein, daß ein richtiges oder falsches Wort soviel Gewicht hat? Kann es das überhaupt geben? Richtig, falsch, angemessen, unangemessen – aber es ist doch in uns, die schreiben, ein Gefühl dafür, ein Seismograph, der anzeigt, wo es geschieht, wo nicht beliebige Worte beliebig gereiht werden, sondern wo *Beschwörung* geschieht, wo der Funke aufspringt, und es ist *plötzlich wie Leben.* Das ist ein ungeheuerlicher, erschreckender, ein atemraubender Eindruck, und wer sagt auf ein Werk, in dem es geschieht: hübsch, entzückend, wie reizend, der hat das Organ nicht, den Impuls zu empfangen... Man empfindet: das Buch ist geschändet, und weiß doch, daß es nicht stimmt: Einem Buch, das da ist, das in der Welt ist, kann überhaupt nichts geschehen, und selbst, wenn niemand diese Bücher zu lesen vermöchte, wäre doch die Sucht da, sie zu schreiben, diese Sehn-Sucht nach Worten, den richtigen Worten, den magischen Worten, die machen, daß etwas *wie Leben* ist...

Aber die Sehnsucht kennt auch die Angst, ist gekoppelt mit Angst, mit Gedanken an Flucht, an Entziehen, Entweichen.

Ausreden, Abhaltungen, Beschäftigungen, Scheinarbeiten – wie gern läßt man sich fallen in sie, ins Geplätscher des Tages, um dem Anruf der Worte nicht ausgesetzt zu sein, dem Druck, der kommt auf einen, wenn man sich öffnet für sie: Als ob der Atemdruck sich verändert, die Luft sich verdünnt, plötzlich ist es *Ozon,* man ist auf dem Gipfel, oder es ist die bemessene Luft, der gesteuerte Druck unter Wasser, und man darf, ums Leben, weder zu eilig vom Berge herab noch aus der Tiefe herauf ... Deshalb vielleicht *wage* ich nur oder fast nur Gedichte. Ich fürchte die Last, die mit dem Immerwieder-Einstellen auf die seelische Frequenz steigen muß, das doch nötig wäre, um ein, Ring um Ring, Schicht um Schicht, wachsendes Werk der Prosa zu leisten, das der Poesie des Gedichtes gleichkommen sollte ...

Ich habe das Wort »hübsch« beschworen, das »reizend«, »entzückend« – nun ist es auf mich gekommen. Meine Alte aus Graz, die eine Art Grazie und Charme hat und etwas ganz Seltenes tut – ebenso selten, wie ihre Selbstironie es ist, sie schenkt, ohne Anlaß, einmal brachte sie mir und der Münchnerin ein Sträußchen Maiglöckchen, ein andermal einen Stengel Flieder, den ersten des Jahres, zu Tisch, meine Alte hat mich herausgefordert, ihr eines meiner »Poesiealben« mit einer Dankwidmung zu schenken. Natürlich mußte auch die Münchnerin dann eines bekommen, und sie sagten mir nun: »Wie hübsch«, »ganz reizend«, »wie finden Sie nur diese Worte?« »Man muß wohl sehr nachdenken drüber?« Ich sagte: »Das schon...« unterm verhohlenen Lächeln des vierten Tischnachbarn Erwin...

Nun habe ich nur noch zu fürchten, daß sie mir, heimgekehrt, eine Schokolade zum Dank schicken werden. Das wär nicht das erste Mal. Es sind mich im Lauf der Jahre schon mehrere *kurende* Damen um Bücher angegangen. Ich habe sie ihnen geschickt. Unfehlbar, wenn sie aus Westdeutschland oder Westberlin waren, kamen Packungen »After Eight« oder »Mon Chéri« dafür bei mir an – Wert gegen Wert. Die Unsrigen, von denen es ja doch auch einige gibt hier, dankten mit Briefen als Zeichen einer anderen Art von Kultur...

Warum habe ich die Gedichthefte an die beiden alten Frauen verschenkt? Ich hätte es lassen und versuchen sollen, die Sympathie, die ich doch, im Lauf dieser zwei Wochen, für ihre in ihrer Art *würdigen* Existenzen gefaßt habe, auf andere Weise auszudrücken, hätte für die Blumen mit Blumen danken sollen ... Sowieso sind wir ihnen leicht *exotisch*, da wir aus dem »Osten« sind, und nun noch Gedichte!

Im »Spiegelbad« sagt eine Westberlinerin zu mir: »Wir haben eben Glück gehabt, daß wir da wohnten, wo wir wohnen, Sie nicht!«

Wir sind also im Unglück, im *Elend*, ihrer Meinung nach, und ich fühle mich provoziert, unsere *Kultur* zu rühmen, unsere Verlage, unsere Leser, nackt neben der Nackten, bis zum Hals im schwefeligen Wasser sitzend, mit der unterm Wasserspiegel verzerrten Gestalt. Es sieht aus, als ob man nur aus Kopf (mit überrotem Gesicht) und Unterkörper besteht, eine neue Spezies Mensch. Und ich preise, wütend über den herablassenden Hochmut gegen das Leben »drüben in der Zone« die Tugenden meines Ländchens mit der vereinfachenden Formel: Kultur vor Konsum ...

Lächerlich, im höchsten Grad, meine Widerrede ebenso wie die Urteilsbeschränktheit der ehemaligen Buchhändlerin, die, aus ihrer Spandauer oder Charlottenburger Perspektive, zu mir gesagt hat: »Wir haben es gut ...« Dabei ist mir überhaupt nicht *politisch* zumute, wann schon? Und hier erst recht nicht ... Aber ich bin, wir sind unter die *Reichen* gefallen, in unserem verzwickten Ökonomismus gilt ja über alles die Gottheit *Valuta*, und hier herrschen eben jene aus jenen Ländern, die sogenannte *konvertierbare* Währungen haben.

»Das ist doch ka Göld hier, kost eh nix!« sagt eine Münchnerin zur anderen, weil die ihr eine Kronen-Summe fürs Telefonieren erstatten will. Sie wechseln, wechseln aber und kaufen, kaufen, suchen die Ärzte, die ihnen am meisten verschreiben: Medikamente, Spritzen, Bestrahlungen fürs hartnäckige Hühnerauge – weil hier alles *gratis* ist, *inklusive* dem einmal daheim gezahlten Hotelpreis, der medizinische Betreuung und Bäder einschließt. Beim Nackt-Disput mit der Charlottenburger Spandauerin, oder was sie nun ist, hat sich herausgestellt, daß es für sie in einem vergleichbaren Moorbad in Norddeutschland (West) um ein Vielfaches teurer wäre. Und das oberitalienische Moorbad, das so modern und elegant sein soll, meiden die Verständigen, die wirklich Kranken, wegen der nur *gedachten*, rein formellen medizinischen Versorgung ... Aber die Charlottenburgerin hat auch, empört, zu mir gesagt: »Wir zahlen ja fast soviel hier wie Sie!« und dabei ist ihr Geld doch viel mehr wert als das unsere...

Nach der *Anwendung*, wenn die Badefrauen sich aufreihen zum Spalier vorm Treppenabgang, um das Trinkgeld zu empfangen, sagt die eine Berlinerin (West) zur anderen Berlinerin (West) über die Trennwand der Badekabine hinweg: »So, nun noch die Munition rausholen!«

Ich brauche einen Moment, eh ich versteh, daß sie Geld meint.

Die Badefrauen arbeiten schwer, unschön, wer möchte schon den ganzen Tag Weiberleiber wickeln und wälzen, Wäsche schleppen oder, am schlimmsten, Schlammkübel karren, Schlamm, kiloschwer, aufs Lager klatschen, auf Körpern verreiben, nach genau einzuhaltendem Zeitspiel, denn unaufhaltsam drängt die nächste Schicht Kurdamen heran – aber die Badefrauen halten die *Stellung*, bleiben lang, hier verdient man, hier gibt es die Trinkgelder, ich vermute, und sicher nicht falsch, daß sie mehr heimbringen als der Herr Primarius, der nur sein Gehalt hat ...

Die Badefrauen haben alle große Familien, haben Häuser und Gärten, ihre Kinder studieren oder haben studiert. Dieses Piešťany, in dessen Schlamm sich, laut Ortsprospekt, schon die Mammute wälzten, ist eine Schlammgrube, die Gold wirft ... Heut mehr denn je, es prosperiert, prosperiert – man baut und baut, aber es gab auch schon Orte, die man *totgebaut* hat. Der Schlamm ist ja nicht unerschöpflich, er wird wiederverwendet und braucht *Regenerationszeit* im sogenannten *Schlammärmel*. Da liegt er jahrelang, wird dann erneut durchsetzt mit Schwefelwasser, das nirgends so heiß der Erde entquillt wie hier (steht im Prospekt) und kommt wieder zur *Anwendung* ...

Ich habe den Verdacht, ein Ökonom hat mit hartem

Bleistift auf weichem Papier ausgerechnet, daß man den Gewinn, den Piešťany abwirft, beliebig vervielfachen kann, aber ich bin überzeugt: man kann nicht.

Früher gab es auf der *Insel* nur das Hotel »Thermia«, in dem wir wohnen, mit angeschlossenem Bad »Irma« und dann das »Pro Patria« mit dem »Napoleonbad«. Vor zehn Jahren hat man die drei Glas-Beton-Silos »Balnea-Grand-Splendid-Palace« gebaut. Seit drei Jahren setzt man dieser Reihe als viertes das »Esplanade« an. Die Badeeinrichtungen dort werden, für die vier Häuser, zur Zeit vergrößert, und alle »Balnea«-Leute werden ins »Thermia«-Bad »Irma« geschleust. Hier herrscht *Aufstandsstimmung.* Man steht jede Woche eine Stunde am Schalter an, um die Zeiten für die vom Arzt verordneten *Anwendungen* in die Badekarte gestempelt zu bekommen. *Wir* sind ja Geduld gewöhnt, aber das *konvertierbare* Publikum droht auszubleiben deswegen.

Es ist Montag, *Piešťanyer* Montag, den man, nach dem *freien* Sonntag, wieder mit einer *Anwendung* beginnt.

Dieses Mal war der Sonntag nicht *frei.* Wir waren mit Herrn W., dem Millionär aus R., auf Wochenendausflug in den Bergen – im Vorjahr vorbesprochen, versprochen, von wem an wen? Von ihm an uns? Von uns an ihn? Er hatte uns jedenfalls eingeladen zu dieser Reise in die *Niedere Tatra* und drüberhinaus nach Levoča, wo es eine Kirche St. Jakob mit Werken des Holzschnitzers Meister Paul gibt. Herr W., der Kunstbücher in Piešťany kauft, hat eines von Karel Plička mit Fotos von Levoča, dem alten Handelsort, entdeckt, und da Herr W. Kaufmann und Katholik ist, zog es ihn zu diesem Ziel und uns mit ihm.

Wir fuhren, genau dreizehn Uhr dreißig nach der elektronischen Uhr in Herrn W.'s neuem BMW, vom Hotel, wie verabredet, Kaufmann und Schriftsteller übereinstimmend in der Neigung zur Präzision. Und die Uhr zählte uns aufleuchtend jede Minute unserer Reise durchs liebliche Land vor. Wir kannten schon den vorigen Wagen von Herrn W. Auch er ein silberner blauer BMW. Dieser hier, ein weniges oder ein vieles weiterentwickelt, gleicht noch mehr einem Flugzeug als der vorige. Die Schalt- und Anzeigetafel ist nun leicht nach links dem Fahrer zugeneigt, einleuchtend und noch bequemer. Wie manche Dinge unseres Lebens aus einem schlechten Traum zu kommen scheinen, so dieses Ding aus einem angenehmen, und das Auto, das wir daheim im *Stall* haben, ein *Wartburg* wie immer seit Jahrzehnten, scheint uns eine Wildform im Verhältnis zur reiferen Züchtung, wie das Przewalski-Urpferd zum englischen Vollblut sich etwa verhält (obwohl ja beides in keiner direkten Verbindung steht). Dabei ist der *Wartburg* das Auto, zu dem wir uns *bekennen*, wir hätten ein anderes haben können, das dem von Herrn W. näherkäme, man hatte es uns angeboten, wir haben es abgelehnt. Aus *Prinzip*. Aber *unprinzipiell* gesehen, ist dieses Auto ein vollkommenes und deshalb in seiner Art schönes Ding. Natürlich nur im Verhältnis zum Reisen als *Idee*: Bewegung zwischen zwei Punkten auf bequemste und schnellste Art.

Bei der Rückkehr haben wir mein liebes Dorf Moravany durchfahren, es war kaum ein Ort, geschweige einer der Poesie. Die Poesie gehe zu Fuß, sie bleibe stehen, wurzele sich ein, schaue hin, liebe das einzelne Ding, einen Weißdornblütenzweig zum Beispiel, zumal, wenn man Proust liest, wie wir in den Vorjahren. Das waren die Jahre der Lupen-Spaziergänge, des Entzückens am Mikrokosmos. Welch ein Zauber: eine einzelne Weißdornblüte mit rosenfarben getöntem Zentrum unter zitternden Staubgefäßen. Das bewehrte Auge entdeckt einen Reichtum gleich dem kristalliner Welten... Ein abgeblühter Löwenzahn, vollkommene Kugel aus haarfeinen Fäden, ein Kosmosmodell, Idealform des Sterns...

Zwei Tage sind wir unterwegs gewesen auf den Straßen der Slowakei, haben Dörfer und Weiler, Flecken und Städte durchfahren, haben das ruhende oder das ruhig in sich bewegte Leben an uns vorbeigerissen oder wir uns an ihm ... Alte Frauen auf Hausbänken, Kinder beim Spiel, Tulpengärten, die blühenden Bäume der näheren Ebene und die noch karg belaubten Haine höher hinauf, wo die Pappeln sich erst begrünen und das Schwarz der Tannen noch vorherrscht.

An Industrien vorüber, Zementfabriken und Eisenhütten mit Schrottdeponien bergehoch, an Steinbrüchen, die Topografien verändern: vorn steht noch das Dorf auf dem Berg, und hinten beginnt schon der Absturz ins *Nichts.* Die Städte wie überall, wo Industrie und Neuzeit beginnen, zweigeteilt: Die Altstadt mit ihrem *Charakter,* gewachsen jahrhundertelang, und die Neustadt Klotz neben Klotz, hochstehendes Rechteck neben hochstehendem Rechteck, Würfel neben Würfel, wenn schon bewohnt, schüchtern *individualisiert*: ein Balkoninnenraum, gestrichen in flammendem Gelb, und überall wehende Zeichen Lebens: Wäsche, am Samstag gewaschen, am heiligen Sonntag getrocknet...

Wie wir am Sonntag hinfahren, sehen wir von einem Dorf zum andern Leute zur Messe sich sammeln, in Rinnsalen treiben hinab oder meistens steigen hinan zur Kirche, die das Dorf überhöht, dann, zehn Dörfer weiter, kommen sie heraus aus der Kirche, stehn noch ein wenig und schwatzen, wandeln heimzu, alte Frauen in gefältelten Röcken mit Spitzensäumen, bordierten

Schürzen, Schoßjacken, Hauben und Tüchern, von Dorf zu Dorf unterschieden, das schwarze Poesiealbum, das Gesangbuch, in der Hand, unterm Arm.

Als wir, Sonntag gegen Mittag, Meister Pauls Bildwerke in St. Jakob zu Levoča ehrfürchtig besehen, (welch ein großer, abweichender, expressiver Künstler zu seiner Zeit!) weist uns der Pfarrherr barsch hinaus: Am Sonntag wird nicht besichtigt, am Sonntag wird nur gebetet. In uns beiden hat er offenbar nicht die Deutschen, sondern die *Heiden* erkannt, oder er hat berichtet bekommen, daß wir nicht *dergleichen* taten, denn Herrn W., der es tat, hat er nicht aus der Kirche verwiesen ...

Da ich gerade, zum ersten Mal und so spät! jenes große Werk der Toleranz, die »Joseph«-Romane, lese, weiß ich, lächelnd, viel um die Mühsal des Kultus, jedes Kultus: wie schwer er sich schafft, wie schwer er sich tut und wie schwer er sich hält. Und ich will den Herrn Pfarrer, bei Gott, nicht bekümmern mit meinem Unglauben, ihn nicht behindern bei seiner *Magie.*

Alte Frauen hier und da in den Bänken murmeln Gebete, haben aber doch noch ein Auge für uns. In einer Ecke, vor dem von Plička fotografierten Altar, auf dessen rechtes unteres Bild ich so besonders begierig war, werden drei Täuflinge abgetauft, in Grabeskälte. Zwei, zigeunerisch schwarze, Taufmütter, stehen in windigen winzigen Goldsandaletten auf dem eisigen Steinboden, eine assistierende Nonne schneuzt geräuschvoll ins Taschentuch, der eine Täufling beginnt zu schreien, zu schreien ... Aber der junge Kaplan in buntem Obergewand, Gewand und Untergewand, hat sein *Programm* zu absolvieren, seine gewiß doch schönen Texte zu sprechen ... Sicher wird Krankheit beim einen oder andern gefolgt sein, und ich bete für die Kindlein, daß es ihnen nicht aufs *Hirn* schlagen möge ... Einem unserer nahen Freunde ist der erste Sohn, den die katholische Schwiegermutter heimlich abtaufen ließ, an Hirnhautentzündung gestorben ...

Übernachtet hatten wir, von Sonnabend auf Sonntag, im Hotel »Partizán« in Tále oberhalb P. Die ganze Reise programmiert und organisiert hatte Herr W. mit Hilfe Schwester Helenas, der Assistentin seines Arztes. Unsere einzige Aktivität, außer Dankbarkeit, war: Ich hatte die Reiseroute auf der Karte und dem Laufzettel abzulesen, den Schwester H. geschrieben hatte. Ich nahm es ernst und hatte deshalb noch weniger vom flüchtigen Schauen.

Das Hotel ist *Touristenbasis*, das Tal von Blockhütten verbaut, mit Steinplattenwegen, Schwimmbassin und Neonlaternen *zivilisiert*. Das *biblische* Tal mit seinen Berghorizonten und Himmeln wirkt wie verkleinert, erniedrigt aufs Abfertigungsniveau lärmender Reisegruppen. Nur ein Versöhnendes gab es: Tausende Schwalben. Am hölzernen Umlauf unterm Hoteldach Nest bei Nest, und die Schwalben flogen ihre Künste in den vor unserem Fenster vollkommenen Himmel, verbanden uns mit der Ferne durch Zeichen von freiestem Fall und gezieltestem Stieg.

Herr W. war Erwins Tischnachbar im Jahr vierundsiebzig, als er allein in Piešťany war, seitdem stehen wir *gut* miteinander, was eigentlich nicht angehn dürfte, aber: er weiß, wer wir sind, wir wissen, wer er ist, er macht Geschäfte mit der DDR, und bei ihm braucht man keine Sätze zu fürchten wie die der Charlottenburgerin: »Wir haben es gut ...« Auch Herr W. kommt jedes Jahr im Mai nach P., und das Menschliche ist menschenmöglich: wir freuen uns, ihn zu treffen, er freut sich, das ist sichtbar, wenn er uns sieht ...

Leben und Schreiben geht nicht zusammen – setze ich mich zum Schreiben hin, verzichte ich auf Bewegung, auf Leben. Die Spaziergänge sind nur noch angedeutet, der Flieder ist ohne meine beständige Aufmerksamkeit erblüht, die violetten Seerosen der Teiche vor unserm Hotel, winzig bei unserer Ankunft, sind vollkommen erwachsen, die Wasserfläche bewuchert mit Blättern und Blumen, Bergung den Fröschen, die balzen, sich paaren, selbst am hellen Vormittag, mit lautem Geröhr im kleinen Liliengeschilf... Die große Magnolie vorm »Irma«-Bad hat ihre weißen Blüten verloren, verstreut, die letzten bräunlichen Blätter sind vor dem Fall, die feurigen Tulpen zu Seiten des Aufgangs bei unserm Hotel haben die Blütenblätter heruntergeklappt, nach außen gedreht, der Fruchtansatz tritt hervor, noch einen Tag, und man wird die Stengel abschneiden und neue Blumen pflanzen.

Als wir ankamen, war die Struktur der großen Linde vor meinem Fenster, Stamm und Geäst, in Nacktheit, gerade, strebend und schlank, einzusehen. Ich fragte, für einen Augen-Blick: was für ein Baum? Nun ists eine Linde im hellgrünen Mailaub, groß schon die Blätter, der Baum nicht mehr schlank, strebend, gerade, sondern rund, das Laub hat ihn rund gemacht, seine Form so verändert...

An wievielen Stellen der Landschaft um Piešťany hätte ich stehen, auf wievielen Wegen hätte ich gehen, über wieviele Gehege von Gärten hätte ich sehen können, die ich kenne seit Jahren und liebe seit Jahren, als wärn sie mein *eigen*, hätte ich mich nicht hingesetzt, um zu schreiben; um zu schreiben, als wär es ums *Leben*, aber das Leben ist draußen, da wo ich nicht bin, denn ich bin drinnen und schreibe...

Die Zeit ist ja bemessen hier, die *Anwendungen* und ihre verschiedengradigen Nach-Müdigkeiten, die Gänge herüber, hinüber zu den *Einrichtungen*, die Wartegespräche vom Wetter, von den wechselnden Gästen, den Unzulänglichkeiten dieser Saison... *Einfach Leben* – das wollte ich eigentlich, einerseits, aber andererseits wollte ich das Unterscheiden, das Abspringen vom Fließband des Üblichen – als ob ich nicht oft einen heimlichen Neid hätte auf Leute, die nichts tun als ums Schwimmbassin liegen, wenn sie die *Arbeit*, die *Anwendungen*, hinter sich haben, die schwatzen, Karten spielen, ihr *Fell* bräunen, als könnten sie es, nach Farbintensität, zu höherem Preise verkaufen, (vielleicht ist es ein Ruhm, der ihnen daheim wird? Sie waren so früh im Jahr schon im Bad, haben *Farbe*, da alle andern noch *bleich* sind?)

Aber ich kann das Gefühl von verlorenem Leben nicht ertragen, das die Beschäftigung mit der *nackten Existenz* mit sich bringt, die Selbstpflege, das Wichtignehmen des Körpers, der eigenen Person, das »heut hab ich *Reaktionen* im Knie, die ich bisher noch nicht hatte!« – na und? Natürlich bin ich nicht krank genug, obwohl ich noch zusätzlich krank war, es gibt ja hier wirklich so kranke Menschen, deren Leben nichts ist als Leiden – von außen gesehen, innen haben sie vielleicht Freuden, die unsereiner nicht kennt, aber in der Phantasiesucht des Schreibenden setze ich mich in die Körperverfassung des *Zitterers* hinein, so wie ich die ganze Zeit, seit ich hier bin, mich in die Lage des Nicht-Sehenden versetze, denn ein anderer Optiker als der Herr N. aus N. hat mir, laut ärztlichem Rezept, kurz vor der Reise, eine Doppelbrille für Nah- und Fernsicht gemacht, deren Sitz nicht stimmt, zum Lesen schon nicht, aber da kann ich das Buch noch in einen günstigen Winkel zum Auge bringen, schreiben aber ist eine Doppelsicht-Qual, und durch die *falsche* Brille ist die Sehkraft so vermindert, daß ich mit der vorigen, die nur Null komma fünf Dioptrien schwächer war, nun nicht mehr sehn kann. Ich hatte sie mitgenommen, für *alle Fälle*, aber der aller Fälle Fall ist nun dieser, und meine Sucht-Phantasie hat gearbeitet und sich erst beruhigt, als sie sich ein Wortsystem, ein Gedicht, gemacht hatte: Ich will mich versuchen im Sehen des Blinden …

Der Optiker N. ist schon abgereist. Da er, der mir den Infekt *übermacht* hatte, in seinem »Balnea-Grand« krank zu Bett lag, habe ich ihn nicht mehr getroffen und habe auch jenes Neuruppiner Mädchen nicht gesehen, das – inzwischen längst über vierzig und Geschäftsfrau im väterlichen Betrieb – zusammen mit seiner, des Optikers, Frau gekommen war, ihn mit dem Auto abzuholen. Das hatte er mir am ersten Piešťanyer

Abend angekündigt. Ich hätte dieses Mädchen gern wiedergesehen. Es war einst ein so hübsches Kind! Hellblond, mit braunen Augen. Die Schwester des Mädchens ging in meine Schulklasse, auch sie hellblond und braunäugig, aber nicht ganz so hübsch, das fand ich als Kind, denn als Erwachsene haben wir uns nie wiedergesehen. Drei Tage vor der Piešťany-Fahrt machte ich meiner Mutter einen Besuch, sie zeigte mir eine Todesanzeige auf der Kreisseite der »Märkischen Volksstimme«: Die Klassenkameradin, die blonde, lustige, braunäugige, lockere, war im November gestorben.

Der Optiker N. erzählt mir dazu: Sie war Alkoholikerin, ledig, hatte zwei schon erwachsene Söhne und ist am Krebs zugrunde gegangen. »Sie hätten sie niemals wiedererkannt!« versichert er mir. Und in mir lebt das lachlustige Mädchen, das nicht geisthelle, aber leidliche Kind, wie ein fröhlicher Wind, der in Frühlingsgrün geht... Wo mögen sie alle sein, die Mädchen, die ich einst kannte? Eine andere Art Mädchen als die von heute, so will es mir scheinen, waren wir damals... Nicht, weil die Zeit anders war im politischen Sinn, unsere Kindheit ging länger und endete jäh...

In Leben verwickelt, in Poesie verfallen. Beides gegen Programm, unerwartet, plötzlich, seit Tagen stellen Gedichte sich ein, der Rausch hält an, erregt mich, das Taschenbuch, in das ich vor vier Jahren in Piešťany schrieb, ist mit nur von mir zu entschlüsselnden *Hieroglyphen* gefüllt. Eine Lebenssteigerung kam über mich, Gegenreaktion auf Gespräche, in die ich verwickelt war, auf Leute, die Anspruch machten an mich mit ihren in den üblichen Geleisen fahrenden Gedanken und Reden ... Gegen Vergängnis, gegen das Fallenlassen in konturlose Zeit habe ich Gedichte aufgerichtet. Wieder das Immaterielle wie eine Befestigung, eine Wand, ein Halt, an den man sich lehnt... Wie sich zeigt, kann alles Anlaß zu Poesie werden: Das Gedicht vertauscht das Vorzeichen, das ein Ereignis im Leben hatte, dreht Minus in Plus um, ein verschwatzter Nachmittag, verlorengegeben, wird in der Vertauschung, Verwandlung, zum Gewinn.

Neue Leute sind aufgetaucht, andere abgereist. Eine schlanke schwarze Frau, groß, gegen vierzig, kam an. Wir taxierten: von *uns,* Leistungssportlerin, die immer noch *abtrainiert,* aber sie ist Geschäftsfrau, Berlinerin, die ins Karl-Marx-Städtische verschlagen wurde durch Heirat, der Mann, Besitzer einer Reparaturwerkstatt für Kraftfahrzeuge und renommierter Rennfahrer, konstruiert Motoren und interessiert sich auch nur für Motoren, sie aber liest.

Im Schwimmbecken, dem *Salon*, der *Konversationszentrale* des »Thermia«, fragt Erwin sie nach ihrem Beruf, sie ihn nach dem unseren, (da ich ihr erzählt hatte, ich arbeite hier ein wenig).

Er sagt: »Wir schreiben, sind Schriftsteller.«

Sie drauf: »Ach, wie die Strittmatters?«

Er: »Wie die Strittmatters, aber wir sind es.« Sie stürzt sich, heranschwimmend, auf mich. Sie hat die »Briefe aus Schulzenhof« gelesen und für sich herausgelesen, daß man an seinem Platz das Entscheidende tun kann, tun muß ...

Das war vor drei Tagen. Heute abend – sie sitzt am Nachbartisch – hat Erwin an ihrer Rückenhaltung gemerkt, daß sie Heimweh hat. Er sagt es ihr, als sie aufsteht. Sie gibt es zu und muß weinen... Ich lasse mir ihre Zimmernummer sagen, folge ihr und sitze eine Stunde bei ihr, schwatze vom Leben in diesem Haus und meinem Schrecken und Widerwillen gegen das Klima des »Thermia«, als ich neunzehnhundertfünfundsiebzig zum ersten Mal da war: Diese uneinheitliche Menschengesellschaft aus so verschiedenen Ländern, verschiedenen sozialen und Bildungsschichten, verschiedenen Alters, verschiedener Konfession – eine flüchtige Menschengruppierung ohne Wertsystem, ohne Rangordnung. Und nicht mal ein *Hühnerhof* existiert *gesund* ohne sie... Wenn man öfter kommt, wie wir es nun tun, wird man gleichgültig gegen Urteil, das einen treffen könnte, man will sich nicht *darstellen*, außerdem kennt man einige, die freundliche Gesichter und angenehme Manieren haben und mit denen man genügend *Trivialgespräche* geführt hat, um sich für bekannt miteinander zu halten ... Im übrigen verstehe ich wohl das peinliche Gefühl Thomas Manns, das er in »Meerfahrt mit ›Don Quijote‹« notiert und über das man sich schändlicherweise zu *mokieren* pflegt ... Daß nämlich niemand an Bord des Dampfers, mit dem er nach Amerika zu einer ersten ehrenvollen Vorlesungstour fuhr, wußte, wer er war. Nicht einmal der Kapitän und der Arzt hatten einen Begriff von ihm als Schriftsteller, geschweige das amerikanische Publikum, in den dreißiger Jahren! Nicht, daß er *Nobelpreisträger* war, zählte, was die meisten wohl denken mögen, aber er schrieb ein Werk wie den »Joseph«-Roman, den ich nun mit Staunen, Ehrfurcht, steigender Rührung gelesen habe, entschlossen, nach diesem Buch eine Zäsur in meiner Lektüre zu machen, mich hier auf kein neues Buch einzulassen.

Ich kenne nur den »Faust«, um den »Joseph« einem anderen Sprachwerk an die Seite zu setzen. Was mir selten geschieht: Ich habe geweint, mußte die Lektüre unterbrechen: das Wiedersehen der Brüder, das Schuldbekenntnis Judas, das Zerbrechen des so lange bindenden Schweigeeides über den Verkauf des angeblich von wilden Tieren zerrissenen Bruders: Geburt des Gewissens, ein ungeheuerlicher Schritt in der qualvollen Bewußtseinsgeschichte des Menschen – und was für ein Sprachwerk ist dieser Roman! Welch eine Wortkraft, die in sich spielt, welche Höhe der Gesinnung, die Toleranz heißt, der Schönheit, die heiter ist wie der liebreiche Tag! Und welche Akkumulation von Wissen in naive Erzählung!

Im Nachwort, das verdienstvoll ist wegen der Daten zur Entstehungsgeschichte, kein Wort über die ästhetische Leistung!

Das Rührendste ein Zitat des alten Thomas Mann aus dem Jahre neunzehnhundertachtundvierzig: »Wie wird die Nachwelt blicken auf dieses Werk? Wird es ihr nur ein rasch verstaubendes Kuriosum für Archivare sein, ein leichter Raub der Vergänglichkeit? Oder wird sein Scherz noch diejenigen erheitern, die nach uns kommen, seine Rührung Spätere rühren? Wird man es gar zu großen Büchern reihen? Ich weiß es nicht, und niemand kann es mir sagen.« – »Und niemand kann es mir sagen.«

Die Einsamkeit des Schriftstellers, sein *Abgesondertsein*, auch die *Trostbedürftigkeit*, die daraus entspringt – sechzehn Jahre seines Lebens hat er an dieses Werk gesetzt, sechzehn Jahre welch eines Jahrhunderts! Aus dem Grauen dieser Zeit taucht heiterste Menschlichkeit, ein All-Wissen um Vergängnis und Wiedergeburt, jenes von dem heute so oft *modisch* geschmähten Herrn Goethe tapfer bekannte »Halten ans fortschreitende Leben...«

Nicht umsonst hat er, Thomas Mann, zwischen den Büchern Josephs »Lotte in Weimar« geschrieben – auch eine Piešťany-Lektüre übrigens, wir haben uns das Buch neunzehnhundertsiebenundsiebzig gegenseitig vorgelesen, (wiedergelesen), Erwin las August und die Schopenhauern, die bei ihm *Addele* hieß, auf Thüringisch, das er aus seiner *Zellwollzeit,* dem Leben in den *Slums* von Saalfeld, und aus den *Edelhofjahren* bei den Künstlerschwestern R., die in »Meine Freundin Tina Babe« eingegangen sind, glänzend beherrscht.

Wieviel Spaßstunden, wieviel Gelächter hatten wir dem alten Thomas Mann, der den alten Goethe und seinen Hofstaat so trefflich schildert, zu danken – und, für den, der es kennt, die schneidende Einsamkeit des vom Geiste *Heimgesuchten,* der nichts braucht, in Wahrheit, als die Verwandlung der Welten in Worte. Alles andere ist *Mummenschanz,* Zugabe, Anpassung, um die Übrigenleute nicht zu sehr zu erschrecken ... (Und dem Alten in Weimar gelang es nie so ganz gut, sie fanden ihn doch immer kalt, hochmütig, unbequem.)

Und neben den Tränen der Rührung, wieviel Gelächter hat mir auch der »Joseph« entlockt, und ein Einverständnis mit dem Leben, dessen ewige *Sinnfragen* wir wohl doch übertreiben. Annäherungen in all den Verwandlungen ja, aber die »fünf Zipfel des Tischtuchs in der Hand« – wie Erwin seine *kleinen Leute* es hoffen läßt – werden auch wir nie haben.

Pfingstsonntagabend. Der Spiegel ist nicht verhängt, sondern verstellt mit Flieder- und Tulpensträußen. Die Fliederfarben noch *klassisch* weiß und blaßviolett, die Tulpen, Neuzüchtungen, spitzblättrig und gestromt, blaurot mit weiß marmoriert und gelbgestreift rosa. Ein paar klarrote und reingelbe rundköpfige *muten* mich an – vertraut aus der Kindheit, da ich Gärten so liebte und wir keinen Garten besaßen. Die Kuhlmann-Kinder, die Bauunternehmers-Kinder von gegenüber, nahmen mich mit in den ihren, von einer hohen Mauer umgebenen. Eine grüne Holzlaube mit Gitterwerk gab es da, neben der stand ein Busch *Tränendes Herz*. Ich fühle das erste Entzücken bei der Entdeckung des Strauches, als ich noch kaum bei Bewußtsein war, nur bei Gefühl, die Stille des Gartens, des Tages, die Verzauberung und die Angst, der Vater der Kinder könnte kommen. Nie, all die Jahre der Kindheit hindurch, verlor ich diese Beklemmung, nur geduldet, nicht am Platze zu sein, nicht dahin zu gehören. Das soziale Trauma der Herkunft vergeht nicht, wird nur verarbeitet. Welch ein anderer Mensch war, ist und bleibt ein Dichter wie Hermlin, der Sohn eines *Hauses*!

An wievielen unserer Bekannten und Freunde habe ich es gesehen, *studiert*. Die mühsame *Bescheidenheit*

Brechts, der die »Gewohnheiten des Bedientwerdens«, über die er schrieb, das herrische Wesen, sein Leben lang beibehielt. Ich sah es bei B., die sich vor Rührung über die *kleinen Leute* unseres Dorfes nicht lassen konnte und gleichzeitig die Konsumverkäuferin tyrannisierte, die in Eile war, ihren Laden zu schließen, weil sie eine Mitgliederversammlung einberufen mußte. Die B. scheuchte die Verkäuferin von einer Ecke des winzigen Lädchens in die andere, um, aus reinem *Gusto,* noch dieses oder jenes Ding hervorholen zu lassen, das ihr, der Städterin, *ländlich-exotisch* war: Arbeitshemden und Holzpantinen, die fast blinde alte Verkäuferin schwitzte vor Angst, ich versuchte die B. zu bändigen, aber die hatte eben die Manieren der Herrin, die »Gewohnheiten des Bedientwerdens« – ich habe hier in Piešťany, bis zu Tränen der Peinlichkeit, darum *gekämpft,* daß man nicht »Gnädige Frau« zu mir sagt. In den ersten Jahren, bis ich begriff, daß ich die Routine störte und zusätzliche Mühe verlangte von der Zimmerfrau, wenn sie sich merken sollte, daß ich nicht so genannt sein wollte. Sie hat ja viele Zimmer und viele Frauen in ihrem Revier. Es war ihr leichter, wenn ich sie reden ließ, wie die Fließbandsprache dieses Hotels es verlangt. Ich habe nur weiter versucht, keine zusätzliche Arbeit, keine Handreichung mehr zu verursachen, als unbedingt nötig, nicht auf dem Zimmer, nicht bei Tisch, nicht im Bad.

Die *Gleichheitsidee* war und ist eine meiner Lieblingsideen, weil ich zu sehr unter Ungleichheit gelitten habe als Kind, als ich mich über die Oberschule hinaushob aus dem *Milieu* der *kleinen Leute*, dem ich entstamme.

Weit entfernt sind wir davon – als Gesellschaft, – Gleichheit zu realisieren, und entfernt bin ich ja heute selber von der *Mehrheit* durch Beruf und Existenzform. Ich kann nur versuchen, mir das Bewußtsein davon zu erhalten, meine Lebensgewohnheiten nicht zu ändern und ansprechbar zu sein, wenn jemand Hilfe braucht oder Ermutigung auf seinem Weg.

Aber im übrigen: wieviel Reichtum hat sich auch bei uns angesammelt: Kleinfabrikanten-Gattinnen unseres Ländchens, die sich hier tummeln, veranstalten Preziosenausstellungen auf üppigen Busen, an fleischigen Fingern, renommieren mit dem Besitz –. Der Flieder, die Tulpen, die Gärten der Kindheit haben mich weggeführt vom pfingstlichen Tag, es gab noch einen anderen Garten in meiner Kindheit, der dem Portier des Prinzenstraßen-Hauses gehörte, einem Alkoholiker, der reinen Brennspiritus trank, dessen Kinder niemand mit den Namen rief, auf die sie getauft waren, alle hatten abscheuliche Nenn-Namen wie Mausi und Motti und Putti und Püpper, die blieben ihnen ihr Leben lang, und eine von ihnen, ein sanftblasses, hellseidenhaariges Mädchen, nur wenig älter als ich, schrieb mir zu meinem letzten Geburtstag: »Wenn ich noch Du zu Dir sagen darf, und die Stunden bei Dir und mit Dir sind meine reinsten Kindheitserinnerungen...«

Für sie waren schon wieder wir, die im Vorderhaus wohnten, war ich, die zur Oberschule ging, *höhere Welt*...

In ihres Vaters Garten war ich nur einmal. Dort gab es einen Baum gelber Pflaumen, riesig und süß, nie wieder habe ich solche Pflaumen gegessen. Als wir, sie und ich, miteinander über den alten Stadtwall den Weg zu ihrem Kleingarten gingen, war mir eine andere Entdekkung beschieden, die der blühenden Wicke. Wicken überwogten die Drahtzäune, ihr Duft schlug in der drückenden Luft des Sommermittags über uns Kleinen zusammen... Jede Wicke, die ich sehe, ruft diesen Weg herauf, den alten Vater des Mädchens, der nie sprach und von dem es hieß, er sei im ersten Weltkrieg »verschüttet gewesen« und eben das Mädchen, das seinen Brief nun mit seinem Taufnamen unterschrieb, und das ich in meiner Antwort zum ersten Mal im Leben, wir beide nun fünfzigjährig, mit diesem Namen benannte, unter Widerstreben, alles in mir widersetzte sich, ich wollte den falschen echten abscheulichen Namen gebrauchen...

Am gestrigen Tag habe ich einer anderen Frau, einem anderen *alten Mädchen* meines Jahrgangs, die verlorene Kindheitsfreundin ersetzt, die Eva hieß wie ich – des Lebens seltsame Spiele!

Aus einer Laune heraus oder aus einem Grunde hatte mir der Herr Primarius im Jahre sechsundsiebzig verordnet zu *turnen*. Die Turnkommandos wurden slowakisch gegeben, und eine *Einheimische* half mir beim Einordnen in die Reihe, beim Stäbeschwenken und Balancieren, übersetzte mir, was ich am ersten Tag nicht verstand. Gespräche beim Umkleiden in der engen Kabine, in der Schweißgeruch stand wie ein widriges Wesen, beim Gehen über den Vorplatz des Napoleonbades zum »Thermia«-Hotel – Satz für Satz, Woche für Woche, erfuhr ich ihre Geschichte, die Geschichte einer Tschechin, mit einem Tschechen verheiratet, die dreimal die Sprache, die Nationalität gewechselt hat. Sie stammt aus dem Grenzgebiet zu Polen, sprach ursprünglich deutsch, dann polnisch, dann tschechisch, immer in verschiedenen Schulen, die den *Umschwüngen* folgten.

Jahrelang war sie Kraftfahrerin auf dem Bau, hat Lastautos gefahren, dann studiert, ihren Meister gemacht, jetzt *kommandiert* sie ganze Männerbrigaden, erst beim Kommunalbau, der Rekonstruktion alter

Häuser betreibt, seit zwei Jahren bei der Bahn. Sie heißt Krista und hatte eine liebste Freundin, die fuhr neunzehnhundertfünfundvierzig davon, und nie wieder hat sie von ihr gehört... Beim Abschied sagte sie mir, daß sie gern deutsche Bücher liest, und erzählte, welch seltsame Sammlung im Familienbesitz verblieben wäre, lange verborgen, denn das Deutsche war nicht geliebt, natürlich, wurde öffentlich nirgends gesprochen – und daß sie die wenigen Bücher immer wieder lesen würden. Ich sagte, ich könnte ihr ein paar Bücher mitgeben, wir hätten welche bei uns, wären Schriftsteller... Schreck war die Reaktion (wieder das soziale Trauma, sie, Kind eines Arbeiters, sich selber als Arbeiterin fühlend, wir, Leute der *großen Welt,* Bewohner des »Thermia-Palace« und Schriftsteller!). Es gelang mir, ihr die Beklemmung zu nehmen, und seither kommt sie jedes Jahr nach Piešťany, mich zu besuchen: Eine Nachtfahrt nach hier, ein Tag mit mir, eine Nachtfahrt zurück, früh auf die Arbeit, in den Kampf um Zement, um Kabel, um Ziegel, um Kalk... Sie hat *Eva* wiedergefunden, die Freundin...

Wir spazieren durch den Park, sitzen auf Bänken, im Gartenraum des »Victoria Regia« unterm Süßduft der Kastanienblüten, bei den sich mit Glyzinien und Rosen eben erst berankenden Pergolen – ein spätes Frühjahr ist heuer – und sie erzählt mir, erzählt vom Mann, von Sohn und Tochter und Schwiegersohn und Enkeln, »meine Sonja, mein Joschka, mein Lubosch, mein Martin, meine Jarunka« – und der Vašek, der Schwiegersohn, Alpinist, und die Tochter Lehrerin, und wie schwer das Leben ist mit zwei Kleinkindern, die Autobusstrecken weit, mit dreimal Umsteigen, in Kindergarten und Kinderkrippe gebracht werden müssen. Den fünfjährigen Sohn bringt der Vašek, die zweijährige Jarunka die Sonja, und wenn die Sonja Elternversammlung hat, fährt Krista die siebzig Kilometer mit der Bahn am Mittag, um die Jarunka aus der Krippe zu holen und zu hüten, bis der Vašek heimkommt, dann fährt sie zurück in ihre Stadt, zum seit Jahren fast tauben Mann Joschka, und wirtschaftet dort – das Leben reproduziert sich, mit wieviel Mühen, Opfern, Sinn für Zusammenhalt, und das Leben der jungen Leute mit Kindern ist überall schwer, ich kann das Lied singen von meinen erwachsenen Kindern, und es schmerzt mich, wie schnell ihre Jugend verging und vergeht, sie sind schon gezeichnet von Mühen, Anspannung, Enttäuschung.

Wann eigentlich war die Zeit ihrer Lust?

Ich schreibe immer am Abend, nur einen Sonntag lang, als ich zu schreiben begann, saß ich auch tags hier am Tisch mit dem verhängten Spiegel, jetzt sind es die Abende, die mich versammeln, und abends duften die Blüten der beiden Bananenbäume besonders süß, Büsche wie Jurten, gewölbt, rund und groß, die Blüten aufspringende Sterne, wie aus dunkelrotem Velvet geschnitten, sie duften tatsächlich genau wie Bananen. Als wir die nie sonst gesehenen Büsche vor Jahren entdeckten, nur diese zwei in Piešťany und dicht vorm Hotel, hinterm Abhang von der Straße zum Park, nannten wir sie, ihres Duftes halber, für uns die Bananenbäume. Zuhause wälzten wir Bücher, sie heißen tatsächlich, wie wir sie nannten.

Ich geh nicht zu den Bananenbäumen, den Rotbuchen, Japanischen Kirschen, den sichelblättrigen Silberoliven, den Pappeln, der spiegelnden Waag, den kreisenden Möwen, den einzligen Schwänen und Schwärmen von Enten, den balzenden Fröschen und Bisamratten, ich lasse die blaue Linie der Hügel im Abend verdämmern, die Nachtigallen singen und singen auf der Landzunge zwischen Fluß und Kanal, die sich, nur ein paar hundert Meter schmal, kilometerweit hinzieht, bis Trenčin und weiter hinauf. Der Kanal wurde gebaut, um die wilde Waag bei ihrem Frühjahrswüten zu dämmen. Ein reißender Fluß das, der Váh, der hohe Deiche verlangt. Zu bewandern die Landzunge, die bei Piešťany »Lido« heißt und über eine schwanke Kettenbrücke erreicht wird: ein Badestrand mit »allen Bequemlichkeiten«, die ein modernes Strandleben heute verlangt. Aber schöner das rechte Ufer des eigentlichen Flusses: hoch auf dem Deich ein Weg mit zwei schmalen, ins Gras geschnittenen Rinnen, Fahrräder und Motorräder kommen gelegentlich diesen Weg, aber am pfingstlichen Morgen war es nur einer, der mit dem Motorrad fuhr. Eine einsame Badedame kam uns, Richtung Piešťany, schon entgegen, ein paar Stengelchen Kräuter, Augentrost gegen Heimweh und Einsamkeit, in der Hand, als wir, immer die an der Landstraße liegenden Dörfer im Fernen verfolgend, Moravany vor allem, Schritt vor Schritt, Kilometer um Kilometer, in die Wildnis von Pappeln und Silberpappeln, von Weißdorngehegen und Walnußbäumen eindrangen. Links vom Weg die Niederungen zum Fluß, nötige Schutzbreite für steigende Wasser, jetzt üppig im Gras, von Wucherblumen weiß und Odermennige violett, von rotem Klee und einer unbekannten Blume in wegwartenblauen Inseln durchwachsen. Rebhühner schwirrten ins Feld, ein Fasanenhahn entflog einem Nußbaum, ein Wiesel züngelte einen modernden Baumstamm entlang, und die Amseln und Nachtigallen sangen und sangen, der Kuckuck schrie, der Wiedehopf rief seinen U-Laut bald links, bald rechts wie aus Höhlen. Eine Urlandschaft, archaisch, *griechisch* für mein Gefühl – in engen Windungen, wo die Bäume sich dichteten, stehende Hitze, wo Weite sich auftat, der allgegenwärtige Waag-Wind, Wechsel von Frische und Schwüle. Wir gingen und redeten, hatten zu reden nach längerem Schweigen über wichtige Dinge. So hatten wir die sehnsüchtigen Blicke einer einzelnen Gästin aus unserm Hotel, die gern gegangen wäre mit uns, bewußt übersehen – wir hatten zu reden oder zu schweigen. *Konversation* war unmöglich an diesem einzigen Tag.

Wenn zwei Menschen zusammenleben, die schreiben, wird Reden schwieriger mit den Jahren. Wenn bei beiden die Sucht wächst, das Erlebte zu verwandeln in Worte, wird harmlose Mitteilung von Gefühl und Gedanken vermieden. Eine Schutzzone und ein Damm werden errichtet wie für den schwellenden Strom, das tägliche Leben mit seinen Allwidrigkeiten, Niedrigkeiten und Ärgernissen gibt Stoff für Gespräche, die Kinder, die Kinder der Kinder, Freunde, Literatur allgemein, Bücher speziell und schließlich das *Wetter.* Wie es bei Laxness heißt: »Sie konnten reden darüber, wie das Wetter in Island war vor vier Jahren ...« Eine Krise in unserem Leben, über die wir im heiteren Morgen zu reden versuchten.

Ich vor allem habe mich verändert, bin ganz und gar *unlieblich* und unwillig zur Anpassung geworden. Das Verhalten gegen die Norm, gegen das Übliche bezieht sich auf alles: Ich will wissen, ob etwas drüber bleibt von mir, von meinem Leben, ob ich ernst machen kann mit der Kunst. Das ist wie der erreichte Punkt einer Flugbahn: kann die Kurve noch steigen, oder ist die

Kraft schon im Schwinden, im Sinken, fällt sie in sich zurück?

Die Zeit, als ich ganz auf das Werk meines *Nächsten* gestellt war, ist lange vorbei, aber auch die Zeit, da ich es halb war, halb bei ihm, halb bei mir. Jetzt bin ich bei mir, will bei mir sein, und ich kann nicht sprechen über das, was ich will, was mir ahnt, was ich schreibe.

Schon die Andeutung in dem pfingstlichen Morgengespräch, daß ich mich hingesetzt habe hier, um etwas übers *Menschliche* zu schreiben, hat mir Angst gemacht. Würde ich nicht einen Ekel haben, zurückzukehren zu dem Papier, ihm noch ein Wort anzufügen? Ist es Aberglaube, die Furcht vorm *Beschreien*? Abergläubisch bin ich nur wenig, wenn auch voller verdrängter Ängste, die mich in Träumen heimsuchen. Vielleicht kommt es, weil ich meinem Willen nicht traue, weil ich weiß, daß mir mit *Willen* wenig gelingt, außer den mit Körperkräften und Verstand zu bewältigenden Dingen, da kann ich das Maß durchaus steigern, nach Plan handhaben und handeln, präzise, nach Zeit, bis zur Erschöpfung, aber was Worte machen, war bisher Gunst. Die Herstellung des *Luftraums*, des *Ozons*, der *Kapsel*, in der ich die Atemluft finde, um Worte *strömen* zu lassen, ist mir so ungewiß, daß ich nicht sagen kann: ich will dies, ich will das, so ist mein Plan. Also schweige ich lieber, verschweige. Verschweige auch, daß ich weiß, ich brauche jetzt mich für mich, meine Zeit, mein Leben, meinen Tag. All das richtet sich gegen nie gegebne, nie geschriebene Gesetze gemeinsamen Lebens.

Erwin sagt: Ich stelle mich ein auf einsame Jahre. Du hast die Kinder, die an dir hängen, die dich erheitern, beanspruchen, lieben... Ich, im grünen Morgen, der wieder ist wie der Morgen des Lebens, berauscht vom Amselsang und vom Sang des Tagvogels Nachtigall, erinnre: War nicht all unser Leben, jahrzehntelang, Leben von einem Tage zum andern, Bedrückung, Beglükkung, Gewißheit, Verlust von Gewißheit und Wiedergewinn? Gelang es uns je, ein *Prinzip* zu finden, nach dem sich *rein* leben und handeln ließ? War der Preis von allem nicht Schuld und Verlust, Last des Gewissens, und am Ende entstand doch das *Werk*? Wir werden es schaffen, uns nicht zu verlieren.

Es ist Nachmittag und regnet und regnet, rauscht in den Kastanien vorm Fenster, perlt in die Wasser der Waag, die ich, vom Schreiben aufschauend, hinter den Linden des Parks und den Platanen der Uferstraße einsehe. Kontrast zu gestern, dem heißesten Tag dieses Mais, an dem wir nach Komárno an die ungarische Grenze fuhren, zwei Stunden mit dem Auto nach Süden, als Freundschaftsbeweis für die Senftenberger Hoffmanns gedacht, die mit ihren dreißig Gobelins »Der Dichter und seine Welt«, die sie (ohne Auftrag, ohne Pflicht, nur auf *Risiko*) zu unseren Arbeiten machten, seit fast einem Jahr in der Slowakei von Ort zu Ort ziehen.

Die Eröffnung der ersten Ausstellung, an einem Regensonntag im alten Schloß Hoyerswerda, hatten wir mitgemacht. Es wurde gegeigt und Klavier gespielt damals, junge Leute von der Musikschule in H. spielten recht ungut, hatten die Ausbildung nicht oder nicht das Talent, um zur Freude zu spielen, und sie taten mir leid und verkümmerten mir die Freude, die Freude der Hoffmanns zu sehen, für die es ein großer Tag war.

Nun sollte wieder ein großer Tag sein. Schon im Winter hatten sie angefragt, ob wir von Piešťany *herunterkommen* könnten, wir dachten, nun gut, Komárno kennen wir nicht, alte Stadt an der Donau, wir werden die Freunde treffen, ein paar Stunden Geruch und Geschmack dieser Stadt erwandern, den Zufluß unserer Waag in die Donau besehen – aber nichts wurde, und hätten wir nachgedacht vorher, so hätten wir wissen können, daß es nichts werden würde mit der *Einverleibung* des Ortes Komárno. – Unser Kulturzentrum in Bratislava ließ uns mit dem Wagen abholen dorthin, es war ein *offizieller Anlaß*, Demonstration *kultureller Beziehungen* zwischen zwei Ländern, und von der Minute an, da wir im Museum, in dem die Teppiche hingen, *anlandeten*, waren wir im *Programm*: Die stellvertretende Ratsvorsitzende, der Museumsdirektor, der Ideologie-Sekretär, der erste Kreissekretär, die Leiterin des Kulturzentrums Bratislava, der berühmteste Genossenschaftsvorsitzende des Kreises Komárno, ein Doktor juris, wechselnd, an verschiedenen Schauplätzen, im Museum, im noch nicht fertig erbauten Kulturpalast der vierzig Kilometer von Komárno entfernten Genossenschaft, im Parteisekretariat des Gebietes und wieder im Museum – sprachen sie, begrüßten einander, diplomatischem Range folgend, die Direktorin des Kulturzentrums, die einheimischen Funktionäre und schließlich: »Die übrigen Gäste aus der DDR« –, das waren, neben einigen Mitarbeitern des Bratislavaer Zentrums, die Hoffmanns, Christa und Günter, die zehn Jahre Leben in diese Arbeit gesteckt hatten, Hoffnung, Verzweiflung, physische Kräfte und Nervenkraft. Das ist ein Metier voller Mühsal und Drangsal, Inspiration, Entwurf sind das eine, Sitzen am Spannrahmen ist das andre: die Skizze des Entwurfs mit Farbnummern auf gefeldertem Karton überm Rahmen, den großen Entwurf, farbig, an der Wand, von der Rückseite her arbeitend, also kein Bild vor dem Blick, Wochen und Tage, manchen Tag zehn und zwölf Stunden, neben der Brot-Arbeit, die die Existenzmittel brachte und das Geld für die Wolle, die in diesen dreißig Gobelins steckt (vierzig, sechzig Farbwerte in manchen, speziell eingefärbt) – neben der Auftragsarbeit für Kulturhäuser, Gaststätten, Hotels –, die Hoffmanns hätten wohl Hauptpersonen des Tages sein sollen. Wenn hier von Kunst die Rede sein konnte, hatten diese beiden Menschen sie geschaffen, wenn hier Kultur verband, war sie ihnen zu danken. Schön hingen die Teppiche in zwei großen Räumen des Museums. Hoffmanns hatten sie vom vorigen Ausstellungsort geholt, hergebracht, gehängt (so von einem Ort zum andern, vierundfünfzigtausend Menschen in der Slowakei hatten sie schon gesehen). Ich hatte bei den Eröffnungsreden, bei all den Begrüßungen der *Offiziellen* und beim Gesang der kleinen Mädchen des deutschen Gymnasiums von Komárno, die in langen roten Röcken wie rechte Weiblein aussahen, immer die »Fledermaus die Nachtmaus« im Auge, die Günter Hoffmann in kühnem Violett zu einem meiner Gedichte gemacht hat – daran hielt ich mich, war versöhnt, und daß eine Schülerin auf Deutsch eine Anekdote vortrug, die ein Text von Erwin Strittmatter sein sollte (»Vier Minister und kein Schlosser«) und die er nie geschrieben hat, war schon fast selbstverständlich, und die deutsche Lektorin am Gymnasium konnte auch nichts dafür, sie hatte das *Material* vom Kulturzentrum Prag bekommen, und sie ist schon drei Jahre von zu Hause weg, und so genau kann sie unsere Literatur nicht kennen, daß sie weiß, was von Strittmatter ist und was nicht, zum Beispiel der »Schulzenhofer Kramkalender«, dessen Motive die meisten Gobelins aufnehmen ... Ein rührendes Fräulein von vierzehn in hochhackigen blauen Sandaletten – ganz Absatz und Schweben – in schwingendem Langrock, auch blau, machte die kleine deutsche Ansage, ein anderes rührendes Kind trug mein Gedicht »Ich« vor – ferne Zeit, da ich es schrieb – eine couragierte Musiklehrerin im geblümten Festkleid, das stämmige Waden freiließ, schlug entschlossen die Stimmgabel und taktierte »Was klinget so herrlich, was klinget so schön?«, eine Blonde und eine Dunkle – ganz richtig blond der Sopran, dunkel der Alt – sangen das Solo – ich stand, neben Erwin, der, fast wie ein Künstler, eine dunkle Brille aufhatte, aber er hatte sich, wie er meinte, vom Blütenstaub am Pfingstsonntagmorgen, doch wie der Herr Primarius sagte, vom Schwefelwasser die Augen verätzt – ich stand an die bläuliche Kalkwand gelehnt, das Standbein ständig verlagernd, gegen die Kälte der Wand Hand und Wolltuch vorschiebend, mit schmerzender Hüfte, denn die wundertätigen Wasser von Piešťany hatten eine neue Art Schmerz hervorgereizt, das Röntgenbild hatte sie legitimiert, dem eleganten lateinischen Abschlußbericht des Herrn Primarius wird das Wort Coxarthrose angehängt sein – ich bin in einen Orden aufgenommen – perspektivisch könnte ich durchaus am Stock gehen wie meine schon längst zu ihren sieben Kindern heimgekehrte Grazer Alte, die die Sippe telefonisch »zammhalt« und sich Quartal um Quartal vor der Rechnung fürchtet. Wenns ganz schlimm kommt, zahlts der Herr Sohn, der ledige, der vierundfünfzig, Ministerialrat im diplomatischen Ressort ist, mit Straßburg zu tun hat, grad die siebente Sprache lernt und nebenher Flugzeugmodelle aus Plasteteilen zusammenbaut, die die Alte in Piešťany, nach vom Sohn gewünschten Modelltypen, einkauft (»kost ja eh nur Heller«) und die in der DDR produziert werden. Sohn Matthes hat aus der Kindheit noch eine Sammlung davon, auf seinem Kleiderschrank kann man nie Staub wischen wegen der vierzig Hubschrauber, Bomber, Verkehrsflugzeuge und Jäger...

Wieso fällt mir heute Acrocca ein... »Acrocca will come...« Flughafen Belgrad, 71 August, aus allen Himmelsrichtungen kam man, die Makedonier hatten ein Empfangskomitee am Flughafen installiert, den ganzen Tag über trafen Gäste der »Strugaer Poesie-Tage« ein, am Abend sollte gemeinsam von Belgrad nach Ohrid geflogen werden – man saß im Freien vorm Flugfeld, rauchte, redete, trank – manche kannten einander, Namen schwirrten umher, und immer wieder: »Acrocca, Acrocca, Acrocca...« »Acrocca will come...« Und: »William Mervin will come...«, ein Italiener also und ein Amerikaner als Verheißung von Größe, für Ausgießung von *Manna* genannt, ich hatte die Namen noch nie gehört, herübergeschleudert aus meiner *Provinz* saß ich da mit dem Gefühl der Unrechtmäßigkeit, der Anmaßung und in dem Bewußtsein, daß es mir schon immer so ergangen war, daß ich nie im Leben Bescheid wußte, das Rechte nicht kannte, dazu nicht gehörte... So vom Himmel war ich siebzehnjährig in die Universität gehagelt, hatte nicht gewußt, was, wie, wann, wo, hatte keinen Ratgeber gehabt und die Dummheit besessen, mich für ein Romanistikstudium zu bewerben, nur weil ich den Klang der französischen Sprache liebte, aber ich konnte sie nicht, hatte nur zwei Jahre Französisch in der Schule gelernt, und die französische Französisch-Lektorin sagte mir, daß ich wohl eine Begabung hätte für ihre Sprache, aber daß mir die Kenntnisse mangelten, und sie erbot sich gnädig, gewöhnlich ungnädige alternde Lady mit gräulichen Locken, dem abzuhelfen und mir Stunden zu geben, die Stunde für fünfzig Mark… Ich hatte hundert Mark Stipendium, und davon mußte ich leben…

Vielleicht war alles, was ich getan habe, Kompensation dieses Gefühls der Nichtzugehörigkeit… Zwar, heut ist mir schon fast alles gleich, ich bin über den Berg oder meine es zu sein, eine Art Kaltblütigkeit und Unerschrockenheit hat sich mit den Jahren, äußerlich, eingestellt, so daß man mir sagt: »Wie Sie das können, so vor den Leuten …«, wenn ich wo öffentlich lese und rede, aber diese Kaltblütigkeit kommt aus dem Gefühl des: »Nun ists nicht mehr zu ändern, ich bin, wie ich bin…« und nicht aus Selbstüberzeugtheit und Übereinstimmung mit mir… Und wenn man mir schreibt: »Wenn *Sie* kommen würden, das wäre für uns…« so lese ichs zwar, doch fühle ich, die Schreiber irren und meinen nicht mich.

Noch immer habe ich nichts von Acrocca gelesen, in deutsch sind mir seine Gedichte nirgends begegnet, auch nicht in Christine Wolters, der *schönen Milanesin*, großer italienischer Anthologie, die so viele gute Dichter versammelt, Quasimodo und Saba vor allem für mich, aber an jenem Augusttag 71 war Acrocca ein schrecklicher Glanz und ich ein Nichts im Bewußtsein, niemand würde je sagen: »Eva Este will come …«, und wie sollte man mit dem Wissen, daß es eine Million Dichter auf der Welt gab, darunter zehn große, je wieder eine Zeile aufschreiben von dem, was man war? Hatte Neruda nicht eben gesagt: »Der zweitgrößte Dichter ist Ritsos«? Und Aragon, mehr Ritter als der Chilene: »Ritsos der größte«? Und Alberti, der Meermensch mit wehenden Haaren? Und Wystan Hugh Auden würde den »Goldenen Lorbeer« von Struga empfangen und in der Kirche des Heiligen Kyrill lesen in Ohrid, dem festlichen Ort, zu dem wir uns in der langsam kühlenden Dämmerung dieses heißesten Tages endlich hinüberschwingen sollten ...

Acrocca war dann ein langweiliger Herr mit tönender Stimme, die Italiener und Franzosen tönen alle in ihren Gedichten, das sind so singende Sprachen, und klingende Bäumlein sind all ihre Dichter – dabei kann Acrocca ebenso gut der größte Dichter sein wie irgendein anderer. Wer will wissen, wo der größte Dichter der Welt lebt? Die von ihm sagen, tun immer, als kennten sie alle Dichter der Welt, als könnte nicht einer wo leben, von dem noch keiner gehört hat, der seinen Rabenfuß oder Lerchensporn in einem Krähwinkel auf Papier setzt, ein Ort, der noch nicht Welt ist und doch eines Tages, durch seine Zeichen, zu Welt wird? Die so sagen, tun so, als gäbe es eine Waage für Poesie, deren Eichmaß selbstredend in Paris hängt, wie das Urmeter liegt in Paris ...

»Acrocca will come...«, »William Mervin will come...«

William Mervin, der idealische Jüngling auf amerikanisch, nicht mehr ganz Jüngling, erschöpfter Ephebe und dennoch ein Bild der Gesundheit in immer derselben, doch immer frischen, gewaschen, gebügelt blendenden weißen Rüschenbluse, Bluse des Minnesängers, Kopf eines Minnesängers, blond, huldvoll, lächelnd... Bill Mervin *adelte* mich, er sprach auch mit mir! Wir tauschten Adressen, er ließ mir ein Buch aus New York zusenden: »The Carrier of Ladders« – und er war wirklich ein Dichter, ein paar seiner Zeilen trafen mich so, daß ich sie in mir behielt: »I was older then, than I hope ever to be again that summer sweating in the attic of the foreign country...« Zehn Jahre später, und wieder in Struga, hörte ich, Bill Mervin hätte Mandelstams Gedichte ins Englische übertragen... Jenes »Rußland. Lethe. Loreley.«

Wer sagt es wem weiter? Wer gibt Resonanz? Wie ist die *Physik*, die Worte verstärkt?

Es gibt den Handel mit eigener Ware, gibt Dichter, die machen *promotion* wie *Popstars*, sie arbeiten für ihre Bücher und bieten den Tausch an: »Bring du mich in deine, ich bring dich in meine Sprache hinüber...« Manche fahrn auch nach Schweden und trinken dort Milch, nahe dem Komitee, das den Dynamit-Preis verleiht...

Aber all das ists nicht, ist der Dichtung nicht würdig. Sie muß, eine Pilgrin, den Stab in der Hand, im Staube der Ebne so ihren Weg ziehn, wie sie die Firne der Gletscher bezwingt. Überall trifft sie auf Menschen, die mit Falterfühlern das Beben eines Gedichtes ertasten, auch wenn es in fremder Sprache zu ihnen spricht...

Sowieso wird der Drang zu schreiben, je stärker er wird, desto zweifelhafter. Gekannt werden, wie man *wirklich* ist, sich selbst bekennen, wie man sich wandelt – man *ist* ja nicht, man wird durchschnitten von Lebenslinien, ist ausgeteilt an Fremdes viel mehr als an Eigenes, spürt immer mehr, daß es das *Ich* als Konstante nicht gibt – und die zweite, stärkere Sucht, das Flüchtige aller Erscheinungen zu bannen, dem Vergessen zu entreißen, was als Glanz in uns aufscheint: das Bild eines Menschen, das Licht eines Morgens, der Laut einer Nacht. Immer rasender, immer drängender, und man fürchtet, wenn man nicht sofort, in diesem Moment, mit zwei Worten ein Zeichen setzt auf Papier, wird dieses Licht, dieser Laut nie wieder erscheinen, wird er für immer in uns und mit uns vergehn... Dabei bedeuten all diese Dinge nichts. Niemandem würden sie fehlen, die Welt würde nichts entbehren, sie würde nicht ärmer, wenn ich nicht aufzeichnete, was mir flüchtig erschien, erst im Leben, dann wiederholt, als Blitz der Erinnrung. Und doch ist die Ahnung einer geheimen Bedeutung in mir. Wieso hätte ich sonst all diese Bilder bewahrt? Und wieviele grad hier an diesem Orte der flüchtigen Bilder?

So die Frau, die mit zwei Krücken von der Brücke in den Park Richtung Stadt ging. Sie konnte nur Zentimeterschritte bewältigen, aber für sie war es vielleicht ein ungeheurer Vorgang, überhaupt sich allein zu bewegen. Vielleicht hatte sie Jahre im Wagen hinter sich? Wir gingen leichtfüßig dem Pavillon und der Blasmusik zu, die schon zog – grell im grellen Licht des Nachmittags. Als wir nach zwei Stunden müde zurückgingen, war die Frau mit den Krücken noch immer unterwegs und vielleicht zwanzig Meter gegangen ... *Schicksal* schauderte mich an. Überall Schicksal... Das wars, was mich hier vor allem ergriff. Ich war gewohnt, an Ursache und Wirkung, Schuld und Verdienst zu glauben. Schicksal schien mir zu den alten Griechen zu gehören, so wie ich es einst im Literaturstudium gelernt hatte: Damals gabs Götter ... aber heut *ist* der Mensch, und er plant, und er will, und er handelt nach seinen Bedürfnissen... Aber dann tritt eine Frau, bei einer Gartengesellschaft, im großen Gelächter rückwärts eine Stufe hinunter, tritt fehl, stürzt, verletzt sich die Wirbelsäule und ist *querschnittsgelähmt*... Von jener Frau hatte man mir in Berlin erzählt, und diese hier, die wie aus einer Anti-Welt kam, konnte es ihr nicht ähnlich geschehn sein? Und der Blinde in unserm Hotel, der jahrelang kam, der schöne junge Mensch mit der viel älteren Frau, die wohl seine Pflegerin gewesen sein mochte ursprünglich; eine unbeherrschbare Halsbewegung mußte er abfangen, ein Rucken des Kopfes, eine Vogelbewegung, wie sie Tauben machen nach dem Trinken aus Pfützen, was war ihm geschehn? Die Frau führte ihn Schwimmen ins grüne Bassin, sie leitete ihn durchs heilende Wasser, das ihn nicht zu heilen, wohl aber seine Nervenschmerzen zu lindern vermochte. Sie saß mit ihm in der *hall*, entzündete seine Pfeife und rauchte sie wechselnd mit ihm ... Der Blinde hatte ein sanftes blondes Gesicht, voll Vertrauen, Lauschen und Lächeln, die dunkle Frau war drahtig und hart, mit einem zupackenden Zug um den Mund, in den Augen Bitternis, keine Güte, und doch mußte sie gut sein, um ihre Pflicht abzuleisten, die keine Freiheit zuließ, wie das Gesetz sie dem Arbeiter zuschreibt. – Sie rauchten nicht nur, sie tranken zusammen auch Wein, sie hörten das Kaffeehausspiel des finsteren Geigers und die Arpeggien der lichtblonden Zwergpianistin, die jahrelang jeden Sommer heraufkam von Bratislava: ganz Arztfrau, ganz würdig, und mit zwei Kleinkindern eine Mansarde bewohnte unter dem Dache des »Thermia« ... Jeden Nachmittag von vier bis sechs dieselben verschlissenen Stücke, des Abends manchmal ein frisches Konzert; ein beginnender Sänger, ein kommender Pianist, der Blinde und seine Frau immer auf ihrem Platz, links im Alkoven, und sie beschrieb ihm die Gäste, die kamen und gingen. Wovon lebten sie? Und wie war ihr *inneres* Leben?

Die stärkste Empfindung, die mich seit Jahren bewegt, ist die des Abgeschlossenseins, des Eingeschlossenseins, der Eingrenzung des einzelnen in seine *Haut,* allein mit seinen *Organen,* die sein Leben ausmachen, es springen lassen oder verrinnen.

Mir ist, als hätte ich, durch einen schrecklichen Zauber, ein schreckliches Geheimnis erfahren, und ich weiß nicht: Soll ich es weitersagen, oder bin ich verpflichtet, es zu verschweigen? Das Zurückfallen des tödlich Kranken auf sich selbst ist nur die äußerste Steigerung einer allgemeinen Erscheinung, die letzte *Erfüllung* des Gesetzes, gegen das wir uns lebenslang wehren, wehren müssen, denn in diesem Wehren ist unser Menschsein begründet... Wieviele Bekannte und Freunde habe ich nun, da ich selber schon alt bin, *hingehen* sehen, *verkapselt* in sich, ohne Brücke zu ihren Nächsten als die trügende Brücke der Lüge? Unsere einzige Hilfe, unser einziger Trost ist die hilflose Geste der Lüge – wenn es ernst wird, wissen wir nicht, was zu tun ist oder zu sagen... Selbst wenn ich hier schreibe: »Nun, da ich alt bin...« stehen schon Freunde und Leser bereit mit der Lüge und reden mich an: »Sie sind doch nicht alt!« »Du bist doch noch jung!« Nur die Wissenschaft spricht gelassen: »Beginn der Vergreisung...«

Dauergefühl von Unrecht, von Vorteil, der einem wurde ohne Verdienst: Weil man gehn kann, nicht verwachsen, nicht lahm, nicht gelähmt ist, nicht geschleudert wird von verworrenen Nervenimpulsen... Und in allen, denen das *Schicksal* mitspielte, der Hunger nach Liebe, nach Glück, nach Bejahung durch andre. Denn keiner von uns kann die Kunst, ohne Vermittlung Glück zu empfinden. Erst die ganz Alten könnens vielleicht: In der Sonne sitzen, im Grünen und Blauen des Maitags, der durchblüht ist von Düften und Farben, und frei sein von der Bestätigungssucht, vom Darstellungszwang auf der Bühne Leben, die Beifall verheißt...

Einmal, im Mai, war ein Mädchen am Ort, wie eine spanische Carmen geschmückt. Schwarze üppige Haare in Ringen um die Ohren frisiert, im schreiend froschgrünen Anzug, auf dem Rücken eine grellrote Lacktasche spielerisch schwingend, sich wiegend zur Blasmusik vor der Riesenmuschel des Musikpavillons stand sie da, klein zwar, aber auffallend ansehnlich, und ein Mann war neben ihr, dem machte sie Augen. Sie rührte sich nicht von ihrem Fleck, nur dieses Schwingen und Wiegen und Lachen und Äugeln und Reden... Aber dann war die Blasmusik aus, die Tänze zu Ende gestampft, die Hirtenlieder zu Ende gejauchzt und gejodelt, und das froschgrüne Mädchen, selbander dem Mann, setzte sich mit der erlustigten Menge in Gang, und da sah mans, sie war nicht eigentlich klein, ihre Beine hatten den Fehler, warn krüpplig zu kurz, verbogen verborgen unterm flatternden Stoff der froschgrünen Hosen, und unbeholfen, aus den Hüften sich drehend, wälzte sie sich auf lackroten Schuhen, noch immer die lackrote Tasche spielerisch schwingend, neben dem Manne davon. Der Mann stutzte, erstarrte, belebte sich und verschwand...

Die kleine *Spanierin* mit dem kunstvoll gerichteten Puppenkopf, mit dem schönen und intelligenten Gesicht, sahn wir in jenem Jahre noch oft, doch immer allein, höchstens mit einem anders lahmenden Mädchen, und wir wünschten so sehr, es sollte einer erscheinen, der den Glanz an ihr sah, ihren Hunger nach Glück. Glich sie nicht jenen flammenden persischen Blumen, die die Wege umblühten? Aber auch wir sprachen von ihr nicht als der Tulpe, wir sprachen von ihr als der Fröschin...

Und die Frau, die von ihrem noch kindlichen Sohn geschoben wurde im Rollstuhl? Der Junge war damals so alt wie unser Jakob, der zwölf war, und die Mutter ungnädig leidend, und eigentlich war es zu schwer für den Jungen, die lahme Mutter zu schieben in ihrem Wagen, und ich dankte Gott, an den ich nicht glaube, und hoffte zu Gott, an den ich nicht glaube, daß meinem lieben Kind seine Mutter niemals zur Last werden möge...

Verhärmte Männer, an Frauen im Rollstuhl gefesselt, Frauen, die seit Jahren ihre Männer »herunterchauffieren«, sie im klappbaren Rollstuhl ans Schwimmbecken, in die Bäder fahren und, um sich zu halten in ihrem Leben, ein System von Entsagung, von Selbstverleugnung und Selbstlob zurecht gemacht haben ... »Mein Mann ist Arzt bei Hannover, er hatte nur eine Spondylosis ursprünglich, ließ sich an der Wirbelsäule operieren ..., ein Nerv wurde verletzt ... danken wir Gott, es könnte noch schlimmer sein ...«

Hohe Schule der *Demut,* der Dankbarkeit für läßliches Funktionieren der Glieder und aller Organe. Gegengift gegen *Melancholia,* die tückische Krankheit der Geister ...

Der Gegenkräfte gibt es hier viele: Der heitere Ort, grün unter Bäumen, manche Straßen dämmern wie grüne Tunnel unter Ahorn und Linden dahin, aber heiter ists trotzdem: Höfe und Gärten von Apfelbäumen und Kirschen durchblüht, kaukasische Stimmung von Winkeln und Treppen, Veranden und hölzernen Umläufen unterm Dache des Obergeschosses. Leben wird sichtbar, ländlich und südlich, das häusliche Leben großer Familien. Denn Kinder gibt es hier, Kinder! Die einen meinen, es wäre *katholisch*, die andern, es käme vom staatlichen Kindergeld her: Junge Leute mit drei, vier kleinen Kindern, elegant und beschwingt, die Frauen behende wie Mädchen, auch wenn sie das vierte Kind schon sichtbar im Leib haben ... Und Piešťany ist der Ort der Zwillings- und Drillingsgeburten, nie sahn wir so viele verdoppelte Kindlein!

Und neben den Kindern, die wir in uns bekannten Müttern, den Serviererinnen, Schwestern, Verwalterinnen unseres Hotels heranwachsen und dann, von Mai zu Mai, zu selbständigerem Leben erwachen sahen, neben den Kindern die ortsansässigen Alten, die wir kennen seit Jahren, die uns aufgefallen sind bei der Blasmusik oder am Markt... Ich kannte eine, die ich »meine« Alte nannte, eine saubere Alte in Halbtracht mit schwarzem Faltrock, Strickjacke, Kopftuch und wollenem Umschlagetuch, so saß sie jeden Dienstag, Freitag und Sonntag bei der Blasmusik in der Sonne, auf demselben Platz in der ersten Reihe, sie mußte schon Stunden vor dem Beginn gekommen sein, um *ihren* Platz zu erhalten. Sie kam mit wechselnden Freundinnen oder allein. Klein, mager, kläräugig, kindhaft und doch mit der Weisheitswürde lange währenden Lebens saß sie da und betrachtete durch die runde Altfrauenbrille das geputzte Gehabe der Badegäste und genoß nebenbei die Einfaltslieder der Kindheit. Jedes Jahr suchte ich sie: »Meine Alte ist da!« Und eines Jahres im Mai, vor zwei, drei Jahren, kam sie nicht mehr ... Und wie viele schöne alte Frauen am Markt! Wie verschieden in Tracht, Haltung, Statur und Gesicht sie auch sind, alle haben sie diesen verbindenden Zug: Kindhaftes, niemals bezweifeltes Selbstwertgefühl. Sie stehn, wo sie stehn, sie füllen den Platz aus, auf den sie gesetzt sind, mit den an der Erde verarbeiteten Händen fügen sie Blumen sorgsam zu Sträußen: eine Narzisse, zwei rote Tulpen, tiefvioletter Flieder dazu: slawische Kühnheit, untemperiert, Pracht ihrer Trachten, die sie noch tragen, nicht wie die Jugend zu Folklore *choreographiert* ...

Dieser *slawische* Markt ist ein Sehnsuchtsort für uns Nordländer, uns Kaufhallenkäufer der Kreisstadt Gransee ... Ist er auch nur ein kleiner Markt, so hat er doch seine Farben und seine Gerüche, seine Rituale, seine Geheimnisse, seine Skandale und seine Krawalle ...

Salat, Lauch und Radieschen kommen so früh schon

im Jahr aus Folienzelten, die die neue Generation in den dörflichen Gärten erbaut hat. Bei unseren Wanderungen in die Umgebung von Piešťany sehen wir sie, wie auch die Verwandlung der Dörfer. Immer wieder eines der schönen alten ebenerdigen Häuser mit dem überdachten Vorplatz an der einen Längsseite verschwindet. Die *Erben* oder die Käufer führen ein *cottage* dort auf, wo das slowakische Haus war, das auch in Ungarn zu sehn ist, charakteristischer Stil: das schmale Haus mit dem Seitengang, Giebel zur Straße, an der Seite die Tür, die ins Offne des Gangs führt, wie eine Bühnentür, hinter der nichts als Luft ist. Auf dem langen, nur meterbreiten Freiraum des Hauses Bänke und Tische, Wäscheleinen mit Windeln und Kleinzeug, Blumen und Pflanzen; Paprika, Mais, Knoblauch und Zwiebeln hängen unterm Dache zum Trocknen und *schmücken* fürs Auge des *Wanderers* das Haus, für die Leute hier ist es kein Schmuck, ist einfach *Vorrat*, ist einfach ihr Leben ...

Immer wieder wundern wir uns, wie die Nachkommen der Menschen, die mit so sicherem Kunstverstand ihre Häuser bauten und Trachten und Tonwaren schufen, das Äußerste an Geschmacklosigkeit leisten beim Bau ihrer offensichtlich kommerziell interessierten *Paläste*. Allüberall, so stilbildend wie das alte slowakische Haus, jetzt die Würfelbauten mit Flachdach, manchmal zwei, drei Stockwerke übereinander, Kästen ohne jede Proportion, keine Ahnung mehr vom goldenen *Schnitt*, den die dörflichen Bauherren hier so gut beherrschten wie daheim bei uns in der Mark – die

Fenster stimmen nicht zur Fassade, die Fassade stimmt nicht zum Grundriß, nicht Höhe zur Breite... Aber bei uns ist es das gleiche, der Traum der Dörfler ist nicht mehr dörflich, die Vorstadtvilla, das Siedlungshaus ist es, und einer macht es dem anderen nach: gekachelte Sockel, mit *Riemensteinen* gerahmte Fenster, die Treppe ein Eisengestell mit Terrazzostufen und als Krönung ein schmiedeeiserner Briefkasten vorm Haus, auf einem Röhrenbein stehend, eine Querröhre, unterm postgelb gestrichenen Kasten, für Zeitungen offen... So wie bei uns gibt es auch hier ansteckende Monstrositäten: eiserne Schmuckgitter vor Fenstern und an den Balkonen, Kachelsockel und Riemensteinschmuck, an manchen Häusern verbreitern sich die Geschosse nach oben, die erste und zweite Etage ragen über die Grundfläche hinaus. In Gagra sahn wir so Gärten, aber da ist es der Berg, der Mangel an Platz, der Mangel an Erde. Da gewinnt man ein Meter Breite und hängt über die Straße einen Weinstock, einen Kleinurwald Bambus, einen Apfelbaum oder Rosen hinaus... Hier, in Piešťany, ists wohl Gewinnmöglichkeit, so nahe dem Bade kann man *vermieten.* Trotzdem gibt es noch viele alte Häuser im Ort und um ihn herum: mit Waschblau getünchte Häuser, in die man, durch eben die Bühnentür, hineingehen möchte, das heißt auf den Gang an der Seite, wo die Alte hantiert, die am Morgen vielleicht auf dem Markt war, man möchte in die dämmrige Stube eintreten, deren Fenster verschattet liegt unterm Nußbaum, der das Geheimnis des schwarzbraunen Gatterzauns überwächst, riesig und uralt der Nußbaum, und kleinblütiger Flieder, der so stark duftet, überflutet den Zaun, durch dessen Ritzen wir Garten und Fenster und Stube erspähn... Sind Dichterstuben und Dichterhäuser, und die alten Frauen, die neugierig zurückschaun auf uns schlendernde spähende Fremde und freundlich danken für unsere Tageszeitgrüße – grad sie versprächen uns Schutz unserer Tage, ihnen traun wir noch Stetigkeit zu, wir sehen sie ja, im Gleichmaß der Jahre, die Gärten jäten, zu Markte gehen, die Hühner rufen mit girrender Stimme, die Kinder verzärteln und neben der scheckigen Katze schlummern auf einer Birkenbank in der Sonne. Die Puschkinsche Amme, die gütige Alte, die Märchen erzählt und Lieder singt ohne Stimme und die uns tröstet wie Kinder, sie ist unsere heimliche Sehnsucht ... Wir haben sie nicht, sie ging uns verloren, wir sind auf uns selber verwiesen, und bei den Dorfgeräuschen und Dorfgerüchen, die wir des Abends oder des Sonntags erwandern, wandelts uns an, wir fühlen uns plötzlich verwaist, im Verlust ... und das, obwohl wir selbst auf dem Dorfe daheim sind, mit Garten und Haus in der noch immer ländlichen *Mark* ... Der Kummer kommt, weil wir erwachsen sein müssen und nirgends mehr Schutz suchen können, im Gegenteil, wir solln ihn andern gewähren – nicht nur die Söhne erwartens von uns, zumal und mit Recht wohl von mir: Ich bin zur Sorge berufen – aber als Dichter bin ich doch *Kind*, und die *mythische* Mutterfigur, die hier in so vieler Gestalt das Leben bewaltet, lockt mich mächtig zur Flucht in die Kindheit und ins Vergessen ...

Keine der diesen Bäuerinnen gleichalten Frauen, die mit uns das »Thermia« bewohnen, könnte solche Impulse auslösen bei mir. Das sind *Reisedamen,* heute auf Korsika, morgen in Amsterdam, gelegentlich haben wir Wiener Prospekte für Busreisen in *alle Welt* gesehen, *alle Welt* auch unsere Welt DDR, und mir so liebe Städte und Stätten wie das feierliche Nowgorod mit seinen ländlichen Rändern, die ich einst in einer weißen Nacht durchwanderte mit einem Dichter, der Bohdan hieß, Stunden um Stunden ... da wehte es mich an wie hier in den slowakischen Dörfern, Häuser in Gärten, Holzhäuser mit verglasten Veranden zumeist, unbedingt eine Birke neben dem Haus, das blau oder grün war und leuchtete vor dem tintigen Himmel der Nacht. Ein ganz gesichertes und geordnetes Leben... Stille verrinnenden Abends, noch ein Eimergeräusch, ein Türenklappen, ein Murmeln im Schatten eines Fliedergebüschs, hinter dem Tisch und Bank standen und wo man noch Tee trank... Ein Bursche mit dem Motorrad kam heim ... dann wieder Stille, ein Zwang fast zu flüstern, so fremd war man da, so *unberechtigt,* über Zäune zu sehen auf dieses reine, in sich befriedete Leben... Ich bin ganz ruhig, *Touristen* aus *aller Welt,* die Nowgorods Kreml besichtigen, werden die Stille dieser Straßen nie stören, ruhlose Damen, die ihre Pensionen verreisen aus Mangel an *Lebensfunktionen*, werden den Friedhof am Rande der Vorstadt nie finden: in der weißen Nacht die Chaussee hinaus, und silbern gestrichene Grabgärtleingitter ums weiße Kirchlein, und Dohlen schwirrn auf, gestört schon der Friede von uns zwei Dichtern …

Es macht mir Lust, geschwätzig zu sein wie die Alten, von denen ich schrieb … Meine Liebe gehört diesen Bäuerinnen mit ihrer trotz Fernsehen, Auto und Folienzelt noch immer waltenden Einfalt … Die andere Hälfte der Welt, in der ich selbst lebe, im »Thermia-Palace« zumindest (daheim lebe ich ja auch im Einfaltsrhythmus der Tage und Jahre mit meinen ländlichen Nachbarinnen), die andere Hälfte der Welt nehme ich ebenso gierig zur Kenntnis, erspähe, was mir draus zufällt. Nur lieb ich sie nicht … in Selbstsucht erblindete Augen, abweisende Mienen, anmaßend angepreßte Kinnladen, das aufgeputzte Gehabe in Kleidung und Schmuck und dabei geistige Leere – Städter, die Zugang zu aller Bildung hätten, wenn sie nur wollten, die in *Kulturzentren* leben und doch nichts lesen als *Groschenhefte* und *Billig-Journale*. Wenn einer ein *wirkliches* Buch liest, ist er ein Unikum und fällt auf. Stapelweise bringen sie literarischen Plunder geschleppt und lassen das Zeug wie Schätze zurück, schenkens den Zimmerfrauen und Serviererinnen oder geben es weiter an die Geschäftsfrau aus Berlin-Schöneweide, die so »dankbar ist für, weil sie in der DDR nichts zu lesen bekommt« …

Auch das ist eine der Piešt'any-Erfahrungen vieler

Jahre: das Harmonisierungs-Egalisierungsstreben muß man verdrängen, muß es zu überwinden versuchen... Je weiter die Kreise sind, die man von seinem Zentrum aus zieht, desto vielfältiger wird das Leben, desto krasser werden die Kontraste, und der größte Teil von dem, was man sieht und erfährt, paßt in das Bild der Welt, »wie sie sein soll«, nicht hinein... Wenn man sich tiefer drauf einläßt, stimmts schon im engsten Umkreis nicht überein. Auch in unserem Dorf, ja in unserem Vorwerk gibts *Schichtungen*, Schicksalslinien, *Sozialdifferenzierungen*, und alle Bewegungen dieser verschiedenen Leben kommen weit her. Wenn man nach Bedingtheiten zu suchen beginnt, ist mit dem »Anfang« kein »Ende«...

Hier, am Ort und im Haus, haben wir vieles Schicksal erfahren ... So das der Mrs. Z., die wir seit Jahren kennen und besonders begierig, mit Vergnügen und Spannung, beobachten. Sie war schon 1974 im Mai da, in Erwins erstem Jahr, und dieses Jahr nun hat sie mir auf ihrem Zimmer ihre Lebensgeschichte erzählt. Wir wußten längst, daß sie aus Providence kommt, wir wußten, daß sie jedes Jahr sofort nach einem *Adjutanten* Ausschau hält hier, nach einem Herrn, der sie noch nicht kennt, den sie zum Ausgehn und Manteltragen und zur Konversation braucht. Wir wußten, da wir oft neben ihr gesessen hatten, daß sie die Kellner zur Weißglut treibt, weil sie an jedem Essen etwas aussetzt und immer etwas anderes will, als sie bestellt hat, als überhaupt zu bekommen ist hier. Ich wußte, daß sie auch mit den Badefrauen *überkreuz* ist, weil sie grundsätzlich zu lange im Bad bleibt, wir wußten, daß sie so gut Slowakisch und Tschechisch wie Deutsch oder Englisch spricht und Französisch, wir wußten, daß sie Jüdin ist und aus der Gegend hier stammt, wie die meisten Mitglieder der jüdischen Kolonie, die jedes Jahr herkommen ins Bad, aber die Details ihres Lebens hat sie mir heute erzählt... Einmal, vor Jahren schon, hatte sie uns, zwischen »Napoleon«-Bad und »Thermia«-Hotel, nahe den blühenden Teichen, in mit Jiddisch und Englisch vermischtem Deutsch ihre Philosophie verraten... Daß man sie fragt in den *states*, wie sie das kann, jedes Jahr diese Luft- und Badereise machen? »Ich machs wie a Voggele«, sagt sie und muldet die Hand wie ein Näpfchen. »Ich tu a bißle und noch a bißle ersparn, so übers Jahr, und sehn Sie, so wird es mir reichen. And I take a fixed flight, you have to pay it months before, and you can't change it, but it's much cheaper, if you can't fly, you lose your money – but I'm a very strong person, if I have to fly, then I fly...« Und meistens springt sie nach *Europe* nicht nur hinüber, um in Piešťany zu baden, vorher oder hinterher besichtigt sie die Pyramiden oder ähnlich notorische Sehenswürdigkeiten... Den Flug von *Egypt* haben wir mehrmals mit ihr erlitten, so begabt und anschaulich hat sie von ihm erzählt... »Ein ganz altes Flugzeug, a very old plane, really..., und es rackelt und rackelt und rackelt, and takes much more time, than they said before, and we had to go down in Zurich, you know, and then we were late, and everybody was afraid of the flight, and then a thunderstorm came..., und ich bet und bet, und eine Dame neben mir sagt, können Sie nischt beten auch for mich? Und ich sag, da müssen Sie beten zu Ihre eigene Gott...« Und vierundzwanzig Stunden ohne Essen, und dann gibt ihr die Stewardess im Flugzeug von Prag nach Piešťany nur Mineralwasser... »Hab ich gesagt, ich komm von Egypt, wie können Sie mir geben nur Mineralwasser?« Aber in der Bädermaschine, die nur eine Stunde braucht und überhaupt wie ein Puppenflugzeug ist, hat es noch nie etwas anderes gegeben als Wasser...

Mrs. Z. ist der bunte Vogel des »Thermia«, wenn sie im Mai nicht *zufliegt*, fehlt die tropische Farbe ... Damals beim Teich hatte sie auch gesagt: »Mag mir der liebe Gott noch geben, daß ich fahr zwanzig Jahr nach Piešťany, und wenn die zwanzig Jahr werden vorbei sein, werd ich am machen scheene Augen, daß er mir gibt noch e paar Jahr.« In unserem ersten gemeinsamen Jahr, 1975, hatte sie Erwin angesprochen auf einer Parkbank und ihm gesagt, er sehe so *international* aus, und sie suche jemand, eine Weltreise mit ihm zu machen, aber auf einem Handelsschiff... Nein, ganz *seriös* ist sie wohl nicht, unsere Mrs. Z., und es kann durchaus zu Peinlichkeiten kommen während einer Saison, zu plötzlichen Zerwürfnissen mit ihren Tischherrn, die sich umsetzen lassen, das geschieht, wenn die Herren Pfahlbürger sind, Kolonialwarenhändler aus kleinen österreichischen Orten, mit Magenleiden und Kamillenteekuren und mit der Gattin daheim, dies Geschäft führt. Sie bekommen es mit der Angst. Wozu wird die exzentrische kleine Frau, die so rothaarig ist und sitzend so mädchenhaft ausschaut, sie noch verführen? Waren sie nicht schon am ersten Abend, in der Annahme, nur ein wenig Luft aufzuschöpfen, in die Nachtbar mit ihr geraten?

Sie ist nicht mehr jung, unsere Mrs. Z., auch wenn sie sitzend und redend und lachend geradezu sprüht von Freude und Frische... Im Bad ist sie immer im Umschlagelaken, auch wenn wir anderen längst schamlos abgebrüht sind und nackt durch die Gänge hinauf und hinunter ins Spiegelbad wandern und in die Schlammkatakombe, die riesig und rund ist wie die alte Skopjer Moschee. Mrs. Z. bekommt man dort überhaupt kaum zu sehen, und wenn, nur durch Gunst oder Spähen, wenn mans beruflich betreibt, so von der Gier auf Leben besessen wie ich ... Sie hat schlimme Beine, die Unterschenkel von Krampfadern durchzogen, und ihre »Fieß« brauchen orthopädische Schuh, und jedes Jahr läßt sie sie gleich nach der Ankunft in Piešťany in der Genossenschaft am Orte besohlen und warnt dort die Schuster, sie sollen sie sorgsam behandeln: »Sie ham mich gekost 300 Dollar ...«

So mädchenhaft sie sich sitzend auch gibt, sie redet am liebsten von Sohn und Tochter. Der Sohn Professor und lehrt Geschichte, die Tochter, ursprünglich auch Pädagogin, hat ins Bankfach gewechselt, ist *vicepresident of a bank*, hat mit Krediten zu tun und steht, hübsch wie die Mutter und jung, für Millionen gerade, die sie vergibt oder nicht.

Aber wie ist sie, unsere Mrs. Z., in die Staaten hinüber gekommen? Die traurige, schreckliche Geschichte wie bei fast allen Juden: Von einer großen Familie alleinig übriggeblieben, zuerst in Frankreich, dann mit schon krankem Mann und zwei Kleinkindern hinüber. Sie hat als Vertreterin angefangen und ist es geblieben: Das Schaustellen und das geläufige Reden, die Suggestionskraft, sie hat sie besessen oder hat sie erworben in vielen Jahren, als es hieß, den kranken Mann zu erhalten, solange er lebte, die Kinder großzuziehen, ihnen

Bildung zu geben und einzuwachsen in die *Gesellschaft*... »Es war schwer«, sagt sie, »in jenen Jahren wars schwer, erstlich als Frau mit Mann und zwei Kindern, zweitens als Jüdin, drittens, ich sprach nicht Englisch...« Ohne Beruf ganz jung verheiratet, aus einer orthodoxen Familie mit strengem Vater und vielen Brüdern heraus... Jetzt lebt sie die *Gegenexistenz* zu Kindheit und Jugend im jüdischen Osten – frei, besonders in Piešťany und überhaupt wohl im alten Europa; in Providence und in Florida, wo sie die Winter verbringt, scheint sie integriert ins System der Damenkomitees und konfessionellen Vereine. Womit sie sich, als *Pensionistin,* alleinstehend, zu Hause beschäftigt? frage ich sie. »Mit Wohltätigkeit...« Das wirkt paradox, wenn man sie, kolibrihaft flatternd, irrlichternd unter der Jugendstilpalme im Speisesaal schwirren sieht um ihren Herrn, mit Haaren, Händen, Augen, Mund und tropisch farbenem Kleid, ein Kolibri eben.

Aber sie hat auch was Unterirdisches, hexenhaft Raunendes. Murmelnd erzählt sie im Schlammbad, im äußersten Winkel, wohin das Dämmerlicht aus der Kuppel nie dringt, von der Konspiration zwischen Badefrauen und Ärzten, eine Verfolgungsgeschichte, die sie verallgemeinert, die aber nur mit ihrem dauernden Überziehen der Zeiten im Schlammbad zu tun hat... Das Schlammbad ist ja gefährlich, es kann eine Herzschwäche geben, man darf nur Minuten drin bleiben, aber sie will es soviel und solange wie möglich haben für ihre Füß. »Nur deshalb komm ich herüber nach *Europe*...« Im Schlamm und im Dämmer erzählt sie mir auch, wie sie die ganze Nacht das Ringlein mit dem roten Steinlein gesucht hat, das einzige Ding, das ihr blieb von der Mutter... Sie hat das Bett auseinander genommen nachts um drei, Kissen und Decken, Matratzen und Federboden, und dann war das Ringlein im Täschlein... Sie erzählt es mir so stark, so bewegt, just in der Nacht vorher wars geschehn, starr unter der Haube, nur der Kopf über Wasser, das Licht trübe wie eine Regendämmerung vor Nacht, gedämpft das Erzählen (wegen des riesigen Hallraums über dem Schlamm unter der Kuppel zum Murmeln gedämpft), aber sie erzählt so suggestiv, daß ich das Ganze wie eine Filmszene sehe, begabte Person, intelligent, scharfäugig, scharfzüngig, aber bei niemand beliebt. Keine Dauerfreundschaft verbindet sie hier mit anderen, die ebenfalls kommen seit Jahren. Auch nicht mit den Mitgliedern ihrer Gemeinde, den andern Amerikanern, die ebenfalls jedes Jahr kommen, ganze Gruppen, Verwandte, Bekannte, und alle sprechen die Sprache der Gegend, stammen von hier oder aus den Grenzgebieten zu Polen... Die polyglotte jüdische Kolonie scheint uns wie manches andere, was wir hier sehen, so wie meine Alte aus Graz, aus Prousts »Balbec« entsprungen... Sie gehen zusammen, sie sitzen zusammen vorm »Thermia«-Hotel unter den Sonnenschirmen, aus der modernistischen Gegenwelt der »Balnea«-Hotels kommen Freunde herüber, sie führen Familiengespräche, halten Geschäftsrat, ab und an flattern Stimmen auf, wird es heftig. Kommen und Gehen und wieder Sammeln, ein würdiger Herr mit Filzhut im

Zentrum, auch Orthodoxe tauchen gelegentlich auf, zwei Jahre lang wandelte einer, abgesondert und in sich versunken, die Hände auf dem Rücken verschränkt, mit Schläfenlocken und feierlich dunkel gewandet, bei dreißig Grad Hitze über die Strandpromenade... Die *Unseren* sind modisch amerikanisch angepaßt an die Zeiten und Welten, in denen sie leben... Aber im Untergrund spürt man Zusammenstehen und Abwehr gegen das *Außen*...

Hier ist ein Brennpunkt, dieses provinzielle Piešťany zieht mit seinem schwefligen Wasser die *Welt* an: Araber verschiedener Staaten (oder Nationen?). Also Moslems, Schwarze und Weiße, Juden aus Übersee, aus München, Zürich und Wien, verschiedengestaltig Europa... Kapitalisten und Kommunisten, Protestanten und Katholiken – wie fremd einer dem andern auch ist, nebeneinander hocken sie nackt im Schlamm oder Schwefel... Dabei hält einer den andern nach Existenz und Gesinnung gelegentlich kaum für ein menschliches Wesen... Natürlich kann Mrs. Z. nicht begreifen, daß wir aus *East-Germany* sind und Schriftsteller, sie weiß überhaupt nichts von unserem Land, als daß da »die Russen regieren...«

So vielgestaltig ist die Welt, daß wir uns mit Vereinfachungen behelfen müssen, aufs Ganze gesehen, heute hereingeholt durch das Fernsehen so vieles uns Fremde, unseren Begriffen unangemessen nicht *Lebbare* – so vielgestaltig schon hier; die Generationen der Einheimischen, differenziert durch Alter, Berufe, Besitzstand, von Konfession nicht zu reden. Die kleine Kirche an der Brücke *arbeitet* täglich – zu den *Einheimischen* auch die Zigeuner gehörend, deren Großfamilien wir täglich am Markt sehn, die Frauen mit kupfern *entfärbten* Haaren, sie halten *Stabsbesprechung* auf den Bänken vorm gläsernen Brunnen, der dieses Jahr schweigt wie alle anderen Brunnen der Stadt (arm wird die Welt, wenns ihr an Geld, Energie und Wasser mangelt, um ein paar Brunnen springen zu lassen!), dann *schwärmen* sie aus, auf dem Markt zwei Stengel Lauch und drei Mohrrüben zu erwerben, mit großem Aufwand an Handel und Reden, und am Ende haben sie doch etwas andres *gekauft*...

Mich halten sie immer wegen meines roten Schultertuchs mit den Rosen an. Das Tuch stammt aus Polen und ist ihr *Stil*, sie wollen und wollen es haben! Unsere Frau E. vom Hotel sagt mir vorsichtig, daß man so was hier als *Nichtzigeunerin* einfach nicht trägt. Sie liebt solche Tücher und Röcke ja auch, trägts aber nur daheim in der Wohnung... Ich bin ebenso unermüdlich, mein Tuch nicht zu verkaufen, wie die Zigeunerinnen unermüdlich sind, es kaufen zu wollen, aber auch verkaufen wollen sie: Quarzuhren, Ringe... Sie gebens nicht auf, nicht den Handel und nicht die Lebensweise, Krista, die »Frau Meisterin vom Bau«, hat jahrelang auch Zigeuner gehabt in ihrer Brigade, die Männer müssen Arbeitstage nachweisen, sonst droht ihnen Strafe, und nichts fürchten Zigeuner, wie man aus ihren Liedern weiß, so wie Freiheitsentzug, um nicht Gefängnis zu sagen... So kann man einen im hellblauen Anzug, mit weißem Hemd, gelber Krawatte und Strohhut bei der Müllabfuhr arbeiten sehen, die ledernen Arbeitshandschuhe sind die einzige Konzession an das, was er tut, was er tun muß. Seine übrige Erscheinung ist reiner Protest... So helfen sie auch auf dem

Markt, ein paar morsche Bäume zu fällen, mit Warten, Zuschauen, gespieltem Anpacken, Reden... Doch es gibt auch Familien, die sich wirklich integrieren ins *allgemeine* Gesellschaftsleben mit seinen Gesetzen von Arbeit und Leistung. Aber hier kennen wir *schweifende* Sippen seit Jahren, die *wachsen*, zwar, sie sind seßhaft, leben am Orte, aber sie durchschweifen die Stadt auf der Suche nach Nahrung... Uns gefällt es, jede Angleichung macht das Leben auch ärmer... Und es muß in dem Volk ein Gesetz sein, das größer ist als das unsre (Pflicht und Arbeit), sonst hätte es sich nicht solange behauptet gegen die Welt...

Pappelsamen fliegt, und die Welt ist voll Schönheit. Das ganze Piešťany blüht, manches besteht, andres vergeht, ist vergangen und bleibt nur in unserer Erinnerung stehen, wo es einst stand. So die Schwertlilienfelder, die in den ersten Jahren am »Balnea« wuchsen. Tausende Lilien von hellem Weiß über silbriges Grau zu Perlmutt, alle Töne von Lichtviolett bis zu dunkelstem Braun, manche stark duftend wie reiner Honig, andre geruchlos, schon künstlich. Auch eine Sorte kleinblütiger Rosen gabs einst, niedrige Sträucher mit krausen Blüten in öligem Lachsrot, sie standen vorm Freibad im Park auf der Insel, das heißt so wie ich. Auch die Hauptallee im Stadtpark ist nicht mehr mit Tulpenquartieren bepflanzt wie in den ersten, *unseren* Jahren. Viele Gänge herauf und herunter taten wir damals, die Blumen zu ehren, die Wanderungen endeten am *modernistischen* Brunnen; eine große sanfte Betonwölbung, halbmeterhoch über dem Boden, über die das Wasser aus asymmetrisch aufragenden Röhren rieselte, in einem Grabenrand um die versenkte Kuppel sammelte es sich, und die Kindlein erkletterten das Dach der unterirdischen *Jurte* und schwelgten im Wasser. Der Brunnen war schön, wenn das Wasser gläsern über ihn ging – nun ist auch er verstummt, aber hinter dem Brunnen, da wo der begärtnerte Teil des

Parkes einst endete, damals, als es die Tulpen noch gab, hat man jetzt einen Rosenhag angelegt: Tausende Rosen, und in Jahren, wenn wir vom Glück begünstigt sind, wenn der Frühling früh kommt und sich auch der Rosenmonat Juni verfrüht, haben wir schon die Charaktere der Rosen gesehen, und eine andere Art kleinblütiger Lachsrosen als die verlornen, erfrornen vom Inselbad »Ewa« waren darunter... Verlust und Gewinn, die Waage senkt sich und hebt sich, so Steigen und Fallen in allem... Im schlimmen vorigen Winter sind viele exotische Sträucher und Bäume erfroren, aber schon pflanzt man wieder, ein Quartier Malven wächst jetzt im Winkel neben den Teichen, wo im Vorjahr ein blau blühender persischer Strauch stand... So von Erinnerungsbildern durchzittert sind wir, wenn wir die Augen schließen und still sind, kommt es herauf.

Manchmal versuche ich an alle die Menschen zu denken, die ich einst kannte und die nun schon tot sind... Ich zähle sie nicht, aber mir scheint, es wären Hunderte in mir versammelt. Bei manchen weiß ich die Stimme, bei andern das Lachen, bei manchen die Stellung der Zähne im Kiefer, bei andern die Beine, den Gang – wie in Schächte steig ich hinab, da tauchen aus Grotten Gestalten herauf, und es ist wieder wie Leben...

So jener Junge, der *Hansi* hieß und zu dem eine rosa Rose gehört, stark duftend, stark stechend, Leben im Tode, eine einfältige Rose vom Sommer nach Ende des Krieges. Seine Mutter ließ in der Kapelle der Pfarrkirche zu Neuruppin ein Gedenken halten für ihren

Sohn, und die Kapelle wogte und glänzte von Rosen .. Ich weinte und weinte und wollte nicht weinen und dachte, ich würde nie wieder lieben im Leben, denn es war eine Liebe, die unbedingte Liebe von Kindern, ich war fünfzehn, und es war noch kein Jahr her, da hatte ich am Geburtstag des Jungen, dessen Datum ich nicht mehr weiß, der aber im Sommer gewesen sein muß zum ersten Male getanzt, den Kindertanz auf der Hochzeit der Tante in jenem Jahr, als ich sieben war nicht gerechnet. In der Wohnung seiner Mutter tanzten wir, öffentlicher Tanz war verboten, und es war ein Zerren und Ziehen vorher gewesen mit meiner Mutter die nicht wollte, daß ich da hinging: »Da paßt du nicht hin, und was ziehst du da an?« Aber dann hatte sie mir eine Bluse herausgesucht, die sie in ihrer Jungmädchenzeit mit Kreuzstichmuster in roten Farben bestickt hatte: Weißer *Voile,* es gab Bilder von ihr und ihren zwei Schwestern, alle drei jung und landfrisch, in diesen gestickten Blusen, die sie, die Mutter, die nähen gelernt hatte, für sich und die Schwestern genäht hatte – bevor das Leben begann, in dem ich sie kannte: Das ewige Hasten und Sorgen ums kleinliche Dasein, um Essen und Trinken, Kleidung und Feuerung – und immer hatte alles gelastet auf *ihr,* und nun wuchs die Tochter heran mit Gelüsten auf Ausgehn und noch dazu »bei besseren Leuten!«.

Verlegen und linkisch ging ich dann hin in der Bluse der Mutter, die knirschte vor Stärke und am Halse ausgeschnitten und durchsichtig war, daß ich mir vorkam wie nackt, und ich trug, im hohen Sommer, braune

Kunstseidenstrümpfe dazu, auch von der Mutter, und war mir ganz fremd, trotz meiner kindlichen Zöpfe, aber noch fremder wurde ich mir unterm Tanz, etwas Wildes brach aus in der dämmrigen Bürgerwohnung des verewigten Amtsgerichtsrates mit ihren Teppichen, mit den schräg in den Raum geschleuderten Ottomanen, mit ihren Bildern in schweren Rahmen und dem herrischen Flügel, den die ganze Familie bemeisterte, alle nicht nur geborene, sondern gebildete Musikanten. In dieser Bürgerwohnung tanzten wir wild nach den billigsten Schlagern der Zeit. Nach außen wars sicher nicht wild, sondern eher ein schüchternes Hüpfen, fohlenbeinig und stolpernd, aber innerlich brach da ein Damm, die erste *sinnliche* Stunde – oder wars nicht die erste, hatte unser bescholtener Kuß hinterm Heckenwege am Stadtpark die erste Sinnenerfahrung gebracht (ein *plebejischer* Alter beschimpfte uns da), oder waren die finsteren Abende unter Bäumen am Stadtwall im Jahre davor, nein, sie waren im Herbste danach und waren im Winter, auch der letzte Abend im März fünfundvierzig, bevor der Junge davonging für immer, endete unter den Bäumen, und mir ist, ich würde die Bäume noch finden, den Fleck, auf dem wir zu stehen pflegten, ja, ich weiß ihn jetzt wieder, er war links von der Treppe, die auf den Weg mit den blühenden Wicken hinabführt, auf dem ich mit dem blonden Mädchen im Mittagsduft ging zum Garten mit den riesigen Pflaumen...

Irgendwann habe ich in einer reinen, unberührten Welt gelebt, so will es mir scheinen, aber natürlich war die Welt weder rein noch unberührt, ihre politischen Koordinaten sind bekannt, sind *ausgestellt* und verurteilt, und auch die Menschen, die um uns lebten, waren nicht fehllos und rein, nur das Bewußtsein des Kindes, der begeisterte Blick, das Berauschtsein vom Tage, von Sonne und Wind und die Freiheit des Spiels haben die Welt so verzaubert, daß die Bilder, die aufstehn unterm Erinnern, in der Frische des Morgenlichts zittern... Aber dann kam die Schuld... Und immer wieder verstricken wir uns, wir kommen aus der Schuld nicht heraus, unsere Welt ist nicht rein, und Reinheit ist nur in manchen Werken der Kunst, die wir lieben mit schmerzlichem Sehnen wie das Erinnern an unsre Vor-Existenz vor dem Bewußtsein...

Hierher bin ich gekommen, beladen mit neuer Schuld, zu vielerlei ungetilgter, unausgesprochen währender Schuld, in all den Jahren meines Bewußtseins gehäuft... Nein, die entscheidenden Erfahrungen werde ich niemals benennen, weder Schuld noch Überwindung von Anfechtung, wenn sie Übermaß haben, können benannt werden, ohne die Scham zu verletzen und ohne die Menschen, mit denen wir lebten und leben, im innersten Innern zu treffen...

Was mir neuerlich aufliegt, ist so absurd wie tragisch und fiel als ein Alptraum auf mich und findet mich hier in den Stunden, da ich die Augen schließe, mich zu erinnern an lichte lastlose Zeiten. Dissonant fällt es ein in die Sonnenmusik, die gemacht ist aus Pappelschneetreiben, aus dem Flirren des Waagwinds in den Platanen und aus dem Rufen der türkischen Tauben.

Am Abend des 9. April hatte ich in Gransee eine *Lesung.* Im Kulturhaus, so nennts sich, wo sonst *Diskothek* ist, im großen Saal.

Sowieso hasse ich es, in Gransee zu lesen ... Es ist die Stadt, in der ich *anonym* sein will, sein will wie alle. Es ist unsere Kreisstadt, ist unsere Einkaufsstadt, und ich genieße ihr *ländliches* Leben. Seit fast dreißig Jahren, in allen *Phasen* meines Lebens, hat sie mich gesehen, hab ich sie gesehen. Ich habe da Möbel gekauft und Schuhe und Stiefel, Fische und Fleisch, Hemden und Hosen für die Kinder, Fahrräder, als sie noch klein waren, Motorräder, als sie erwuchsen, Fußmatten, Eimer und Besenstiele, Bälle und Briefpapier, Hustensäfte und Fiebertabletten, alle *Notdurft* des Lebens haben wir da befriedigt – Propangas zum Kochen und Kohlen zum Heizen kommen auch von Gransee... Und eben wegen der Kohlen hab ich gelesen am Abend des 9. April. Im Januar waren uns Kohlen und Koks ausgegangen, und ich hatte unseren Freund, den *Kreisplaner,* der uns schon oft geholfen hatte, um Vermittlung angehen müssen wegen einer *uneingeplanten* Kohlenlieferung, und er hatte die Gelegenheit genutzt und mich erinnert, der Kulturbund warte noch immer darauf, daß ich in Gransee eine *Lesung abhalten* solle ...

Vor ein paar Jahren hatte ich das schon einmal gemacht. Damals hatte man, auf Ratschluß des Kulturministeriums, einen »Freundeskreis Kunst und Literatur« gegründet, und der gab sich ganz *exklusiv*. Die Lesung fand hinter »verschlossenen Türen« statt, nur »auf Einladung«, im »Veteranenklub der Volkssolidarität«. Ich stand in Finsternis und Kälte vor der verschlossenen Tür, als ich, wie immer zu früh, ankam, ich dachte, ich hätte mich in Ort oder Datum der Lesung geirrt, und durchwanderte die abendlich toten Straßen der ältlichen Stadt, suchte in der Buchhandlung oder am Aushang der Kreiszeitung einen Hinweis, da wo man sonst in Kleinstädten einen Hinweis auf »literarische Abende« findet – es gab keinen Hinweis –, dann kam jemand gelaufen, öffnete und erleuchtete den Klub, und ich erfuhr, daß der Freundeskreis »unter sich« bleiben wollte: Lächerliche *Exklusivität*, ich dachte, daß man diese Freundeskreise vielleicht gegründet hätte, um in Städten wie Gransee Kultur aus der *Kammer* ins *Freie* zu führen: Veranstaltungen, in die jeder gehen konnte, der Lust hatte. Nicht jene »Klubs der Intelligenz«, die den Ärzten, Tierärzten, Zahnärzten, Lehrern, Apothekern und Architekten vorbehalten waren, in denen sich der alte Standesgeist der Kleinstädte breitmachte: Herr Chefarzt Dr. Sowieso und Frau Tierarzt Dr. Sowieso, und ein Schüler, der die Literatur liebte, oder ein junger Arbeiter, der schrieb, traute sich da sowieso nicht hinein – nun also in unserem Gransee ein Zirkel, der »unter sich« bleiben und »Kunstprobleme debattieren« wollte... Zwar hatte ich gelesen am Abend aus einem neuen Manuskript, aber ich hatte den Veranstaltern gesagt, was ich von ihrer *Nicht-Öffentlichkeit* hielt... Ich hätte es nicht tun sollen, denn nun hatte der neue Kulturbundsekretär auf »einen Höhepunkt orientiert«, und er hatte nicht nur dreimal auf der Kreisseite der Bezirkszeitung meine Lesung ankündigen, sondern hatte auch in der Oberschule Listen aushängen lassen, in die sich die Schüler einschreiben sollten, die hingehen wollten zu meinem Abend, angeblich wegen des »Heimtransports« ...

Mein lieber Jakob kam aus dem Internat und sagte: »Mutter, du kannst da nicht lesen! Man zwingt die Schüler, in deine Lesung zu gehn...« Ich rief den Kreissekretär an und verlangte, daß man die Sache mit den Schülern zurückrufen solle, ich wollte keine »organisierten« Besucher haben ... Ich würde die Lesung absagen, wenn ich nicht sicher wäre, daß man meinen Wunsch respektiert. Man sagte, man würde, aber außerdem hatte man, ohne mein Wissen, Eintrittskarten verkauft – da »unsere Menschen« der Meinung wären, daß etwas, das etwas kostet, mehr wert sei als etwas, das kostenlos ist... Sicher dachten die Kleinstädter: So also verdienen die Schriftsteller ihr Geld... Ich war voll Unlust und Unmut, das zerrte sich hin, aber dann, am Tag vor der Lesung, geschah noch das *Unglück*.

Unser Dalmatinerhund Assan, der Freund unserer Kinder, Erwins und mein *Dichtergefährte* aus langen zehn Jahren, wurde von einem Fuchs angefallen, und obwohl er geimpft war gegen die Tollwut, konnte er sie doch übertragen, und nach schreckliche Stunden währenden Telefongesprächen und Amtsauskünften blieb uns kein Rat, er wurde am Morgen des 9. April am Waldrand hinter unserem Garten von unserm Förster erschossen...

Mit Zittern in Nerven und Herz fuhr ich abends in die Stadt, und natürlich hatte man doch die Oberschüler zur Lesung getrieben, Jakob war standhaft geblieben und war, trotz Vermahnung und Drohung, nicht mit den anderen *Internatlern* gekommen. Der große Saal war gefüllt, aus anderen Städten und Kreisen waren Menschen – freiwillig – herangereist – die Veranstalter *glänzten*: *Das* in Gransee, sie hatten also richtig *orientiert* – und so begann ich, auf der Bühne sitzend, zu lesen...

In der Mitte des Saales, in meiner *Blickschneise*, der

Block der Schüler. Vor der Lesung hatte ich mit *Autosuggestion* gearbeitet, hatte das Fontanewort: »Wie es auch kommt, um neun ist alles vorbei...« memoriert, hatte meine Trauer, mein Entsetzen um Assans Tod unterdrückt und war *gesprungen* wie der Artist vom Trapez... Ich fing mich, ich lebte in meinen Texten, ich spürte, daß sie in den Zuhörern zu leben begannen. Nur in dieser Blickschneise, genau mir gegenüber, saßen zwei Jungs, die die Lesung pausenlos *kommentierten.* Der eine beugte sich zum anderen hinüber, und ich sah, daß er *lachte*... Ich versuchte, auch diese zwei, die offensichtlich zu den *Getriebenen* gehörten, zu erreichen, ich las weiter, zwang mich zur Ruhe, es gelang nicht. Ich las wie in einen riesigen Hallraum hinein, hörte ihn *dröhnen,* und meine Stimme, meine Gedichte, mein Leben kamen nicht mehr gegen ihn an... Ich spürte, das einzige Mal im Leben, wie meine Haare sich *sträubten,* ich wehrte mich gegen den *Sog,* las Wort für Wort, ohne Sinn zu erfassen, las nur noch mechanisch – und immer weiter das Gerede der Jungen und das Lachen des einen, das mir ein *Auslachen* schien... Sicher hätte ich an einem anderen Tage als diesem und an einem anderen Ort als Gransee, wo ich die Vorbereitung des Abends miterlebt hatte, *durchgehalten,* hier hielt ich es nicht, ich hörte auf und sagte, ich wüßte, daß die Schüler, trotz meiner Bitte, gezwungen worden wären, zu der Lesung zu kommen, und der Junge, der die ganze Zeit redete und lachte, möchte doch gehen, ich könnte nicht lesen gegen seinen *Widerstand*... Der Junge ging.

Ich las weiter, mit dem Gefühl einer Niederlage *für immer*. Die Leute hatten applaudiert auf das, was ich sagte, sie applaudierten am Ende – ich aber war wie vernichtet, war der *Schande* verfallen, und dann kam eine kleine Lehrerin, die vorher mitapplaudiert hatte, und sagte: »Nur daß Sie es wissen, der Junge hat nicht gelacht, es sieht nur so aus, der Junge hat eine Narbe von einer *Hasenscharte* ...«

Die ganze Nacht lag ich wach, furchtbare Schuld! Und vielleicht hatte ich dem Jungen mit der öffentlichen *Markierung* als *Ruhestörer* einen schrecklichen Stoß versetzt, und der Junge tat sich in dieser Nacht ein *Leid* an! Am Morgen des 10. sollte ich abgeholt werden nach Schwerin, um da am Abend im Schloß zu lesen, am 11. von dort nach Güstrow, auch da: Lesung im Schloß... Wie sollte ich mit der Angst um den Jungen die Fahrt, den Tag, die Lesung bestehn? Früh um halb sieben rief ich Jakobs Klassenlehrer an, ließ mir den Namen des Jungen sagen und bat ihn, mich bei ihm zu entschuldigen für meinen Irrtum – denn es war ja so: Das Sprechen hätte ich ausgehalten, was mich *zerrissen* hatte beim Lesen war das Auslachen, das, wie sich nun herausstellte, gar kein Lachen war ... Der Lehrer, entschiedener Anhänger von Disziplin, konnte durchaus nicht verstehen, warum ich *nervös* war. Der Junge war nicht *sein* Schüler, er war *Parallelklässler*, die Parallelklasse war sowieso disziplinlos, und dieser Junge, guter Schüler zwar, erst recht disziplinlos. »Das war schon in Ordnung!« sagte der Lehrer. »Solln sie sichs merken, die Burschen, wir müssen noch allerhand *gärtnern* an ihnen, ehe sie sind, wie sie sein solln ... Aber gut, wenn Sie wolln, ich bestells ihm ...«

Am Nachmittag, vom Schweriner Hotel aus, versuchte ich den Lehrer wieder zu erreichen, ich wollte hören, ob der Junge da war, ob nicht ein Unglück geschehn war ... Das Zittern ging mit mir, ich *Schuldige* las unter Baldachinen und Fürstenemblemen, als käm es mir zu – und war doch *verurteilt* ... Ich fühlte *Schizophrenie*, den gespaltenen Zustand des Wahns, ich führte Gespräche, besuchte Freunde, hörte zehn Stunden lang auf der Hin- und Rückfahrt die Lebensgeschichte des Fahrers an, der mit sich vollkommen im Einklang war, einer der glücklichen Selbstrühmer, denen alles gelingt – und ich dachte nur daran, nach Hause zu kommen, um von dem Jungen zu hören, um Jakob nach ihm zu befragen, dem Jungen zu schreiben und von ihm Verzeihung zu erbitten ... Ich schrieb ihm, und Jakob gab ihm den Brief, der Junge geht ruhig zur Schule, oder so unruhig und lebhaft wie immer, natürlich antwortete er mir nicht, wie sollte er auch, was sollte der Junge mir schreiben? Scheinbar ist alles gut ausgegangen, meine Angst, mein Schuldgefühl war *hysterisch* – aber vielleicht habe ich *doch* dem Leben des Jungen einen *Stoß* versetzt, sein Selbstgefühl geschädigt und bin verantwortlich für etwas, was ihm in *Zukunft* geschieht? Ich jedenfalls werde nie wieder sein, wie ich vor diesem Abend war ...

Immer hatte mein Mitgefühl, meine Sympathie gerade diesen *Halbwüchsigen* gegolten, ich glaubte, sie zu verstehen, und hatte das Vorurteil: Unsere Jugend hats leicht, bekämpft, wo es anging, viele junge Leute hatten mir geschrieben zu meinen Gedichten, ich hatte mich gefreut über ihr Vertrauen und ihnen immer ernsthaft zu antworten versucht, und nun hatte ich einen von ihnen *gekränkt*... Scham und Schuldbewußtsein sind auf die Gedichte zurückgeschlagen, die ich an jenem Abend vorlas, und ich sehe dem Buch, das nun kommt und »Zwiegespräch« heißt, nicht mit Freude entgegen...

Es hatte nicht »Zwiegespräch« heißen sollen, sein Titel war »Die heimliche Freiheit der Einsamkeit«, aber die *Gutachterinnen*, die der Verlag bestellt hatte, fanden den Titel *politisch* und fanden den Titel *unmöglich*, obwohl er eine Zeile aus einem *harmlosen* Gedicht ist, das »September« heißt und die alte Ritornell-Form aufnimmt, die eine der wenigen klassischen Gedichtformen ist, die ich liebe – ich hatte *resigniert* und nach einem Ausweichtitel gesucht, hatte zwischen »Beweis des Glücks« und »Zwiegespräch« geschwankt und mich schließlich für »Zwiegespräch« entschieden. Das Titelbild stand von Anfang an fest, wie bei all meinen Büchern hatte ich es gesucht oder vielmehr gefunden. Ein paar Jahre zurück war mir in einem Weimarer Sommer der Ungar Csontváry im Schaufenster der Internationalen Buchhandlung aufgefallen: Der Wipfel einer Libanonzeder war auf dem Umschlag des Bildbandes zu sehen (und drinnen »Die einsame Zeder«: ein abgestorbener Ast wie ein Schwanhals ragt ins Blau überm Arabischen Meer). Man holte mir das Buch aus dem Fenster, und es war *meins*, und Csontváry war *mein* Maler und würde es bleiben, das Buch war in Budapest verlegt und gedruckt, hier kannte noch niemand, den ich kannte, den Maler, ich gab das Album zum Abfotografieren in den Verlag – die wundersame Abendstimmung mit dem technischen Titel »Elektrisches Licht auf den Bäumen in Jajce« wird auf dem Buch sein –, in wenigen Wochen soll es erscheinen, wie immer warn die Gefühle, dem Buch entgegen, zwiespältig, und nun noch das neue *Gewicht* obendrauf – auch das spielte sicher an jenem Granseer Abend mit: Daß die Gedichte des neuen Buches noch *radikaler* sind als die meiner früheren Bücher, noch *schutzloser*, daß ich mich in ihnen *preisgegeben* habe, wie man es nur vor Menschen tun kann, die geistig mit einem *gleichklingen*. Ich hatte diesen Gleichklang bei Lesungen schon gefunden – aber nun: Mein Gransee, das ich kannte in seiner märkischen Kargheit, in seiner Beschränktheit auf Tagesgeschäfte, zu denen auch Tod und Leben gehören, ordnungsgemäß und vernünftig bewaltet – *Kontrapunkt* all meiner Dichtung, den ich brauche als Gegengewicht gegen die *Exaltationen* der Poesie, in die ich *anfallartig* gerate. Es war mir von Anfang an *peinlich*, in Gransee, meiner *Marktstadt*, diese Gedichte zu lesen. Nun aber ist es mir schon eine Pein, an sie nur zu denken. Daher die besondere Stimmung dieses Piešťany-Mais und die Frage: Wer bin ich, was kann ich, was bleibt? Daher das Bedürfnis, mich zusammenzufassen, meine Kräfte zu konzentrieren, um schreibend vielleicht doch noch eine *Rechtfertigung* meiner *Existenz* zu finden und die *Anmaßung* zu sühnen, die an jenem Granseer Abend ausbrach und zurückschlug auf mich...

Hier ist alles wie immer und arbeitet der *Verdüsterung* entgegen.

Ich gehe durch das wunderliche Haus »Thermia«, und seine farbigen Fenster leuchten mich an: Der große Pfau im Treppenaufgang, der so schön ist, daß man sich nach ihm sehnt, wenn man ihn sieht, und erst recht, wenn man sich seiner erinnert: Abends, wenn das Haus erleuchtet ist, tritt er hinaus, man sieht ihn von fern, schon wenn man aus der Stadt kommt und auf der erleuchteten Brücke die Waag überquert, ruft er von weitem. Tags sieht man im Gegenlicht sein blaues und grünes Gefieder bei jedem Gang über den Flur zu den Bädern, des Morgens begrüßt er einen als erster, noch ehe man hinaustritt, um die Linie der Hügel zu suchen; steht sie dunkel und scharf konturiert gegen den silbernen Himmel, wird es ein schöner Tag, ist sie bläulich verschleiert von Dunst, wird der Waagwind erwachen und Regen bringen... Vielerlei farbige Fenster sind da. In diesem irregulären, asymmetrischen Bau gibt es Winkel und Erker, pavillonartige Ausbuchtungen und Hallen, ihre Glasfronten sind mit Sternen und Rhomben besetzt, das ganze riesige Haus bis hinunter zur Schlammkatakombe ist von einem *Willen* beherrscht. 1912 erbaut, von italienischen Architekten entworfen, ist es reiner *Jugendstil* – die Pelikane und

Seepferde, die auf Kachelfriesen das Schlammbad umziehen, gehören ebenso ins *Dekor* der Zeit wie die Seerosen- und Pfauenmotive und wie die, geometrischen Modellen gleich fallenden, Ketten der Würfel und Rhomben. In den fünfziger Jahren hatte man begonnen, das »Thermia« zu *modernisieren,* glücklicherweise ist das Geld ausgegangen, nur die Eingangshalle, von der wir Fotos sahen, hat man verunstaltet, hat die Decke heruntergezogen und um die Wandung einen scheußlichen Putzfries gezogen, der eine Art Wasserwogen und in Symbolen die Heilkraft von Piešťany darstellt. Einst war sie riesig, ein mächtiger böhmischer Lüster, mit Rubinglas versetzt, war ihr einziger Schmuck. Der Speisesaal ist noch *original,* da gibt es die alten Lampen und Wandleuchter noch, auch im Sitzraum, der *hall,* wo die Musik geht, sind die Wandlampen noch aus der *Epoche,* jede mit einer gläsernen Pfauenfeder als *Mittelachse* geschmückt ...

Seltsame Bindung an dieses alte Haus, in dem die Schranktüren klemmen, die Fenstergriffe abfallen, wo im Schlammbad die Zugluft quer durch den riesigen Raum geht, weil keine der schönen messingnen Türen mehr schließt, die Wasserspeier, die Neptunhäupter, sind lange verstummt, die den Badenden einstmals Kühlung und Trinkwasser brachten. Alle *amerikanisch* Gesinnten wechseln ins »Balnea« hinüber: »Its much more modern and clean ...«, sagt ein New Yorker – aber wir sind aufs »Thermia« *fixiert* und werden hier wohnen solange wie möglich. Und immer im Mai ... Und das, obwohl auch der Schulzenhofer Mai schön ist und wir ihn nun immer verlieren... Aber nicht mehr zu fahren nach Piešťany ist nun schon unmöglich. Das ist eine *Sucht*, eine *Droge* geworden.

Bäume stehn in uns auf und rufen zu sich herüber. Platanen, Kastanien, Ur-Weiden, die mächtigen Pappeln, der gotische Säulengang der Pyramidenpappeln auf unserer *Insel* und die Silberpappeln, die Espen mit ihren weißseidenen Stämmen und ihrem spielenden Laub, das nie still ist, immer vom Waagwind bewegt – und die langen Straßen der Stadt, die ins Ländliche führen, jedes einzelne Haus kennen wir da: eins hat ein Tor, das zwischen Zementpfeilern steht, und die Pfeiler tragen einen Männer- und einen Frauenkopf, plumpe Heimkunst, rostrot gestrichen, wir begrüßen sie jedes Jahr, und die lange Zeile der uneingefriedeten Vorgärten in dieser ländlichsten Leninstraße: Lilien, Pfingstrosen und Akeleien – all die Kleinwelten, denen Kinder entwachsen und aus denen wachsame Alte die Fremden bespähn. Da wo wir gehn, ist nicht mehr Zone der Badegäste, wir dringen vor ins *gewöhnliche* Leben, wo die Jugend abends auf den Bordkanten der sich verlaufenden Straßen sitzt oder auf roh zusammengeschlagenen Bänken in einem Winkel zwischen drei Häusern... Slawische Stimmung, Moskau-Stimmung, auch die Garten- und Parkkunst ist slawisch: So legt man bei uns keine Grünflächen an: in die natürliche Wiese Birken und Tannen gestreut, keine symmetrische Kunst, und der ganze Ort, wenn man die Woge der Gäste abzieht, den Schaum ihres flüchtigen Lebens, atmet gleichmäßig, kraftvoll, Duft von Roggen und

Weizen durchzieht ihn an seinen Rändern und Backduft aus pfingstlichen Häusern. Vielleicht lieben wir den Ort wegen seiner Abgeschlossenheit, wegen des Gefühls einer fremden Heimat, Negativbild: Wir sind hier ausgeschlossen vom *wirklichen* Leben, aber wir haben eines daheim... Von Tag zu Tag wächst in der Fremde die Bindung ans Eigne, nein, wir sind keine Menschen für Hotels und flüchtige Lust, wir sind verwurzelt im Unsrigen, im kargen Leben der *Zone*, wie die Deutschen aus Charlottenburg unser Land noch immer, auch uns gegenüber, zu nennen belieben, die Freiheit von den Lasten des Alltags, die wir hier finden, macht uns auch unfrei, denn nur da, wo wir gebunden sind durch Lasten und Pflichten, werden wir auch getragen von anderen Menschen. Man fragt nach uns, fragt uns nach, braucht uns in vielerlei Hinsicht. So unsicher ich meiner bin, so unbestimmt in den Umrissen meines Wollens und Könnens: Daheim bin ich mit einem Namen und einer Anschrift bezeichnet, Menschen wenden sich an mich mit Willen und Wünschen.

Hinter der schimmernden Linie der Hügel tauchen mir plötzlich die sandigen Wege um Schulzenhof auf, die blühenden Robinien mit ihrem Honiggeruch rufen zum Hang nach Dollgow hinüber, und die griechische Landschaft an den Ufern der Waag, ihr rauschendes laubiges Grün ist plötzlich vom Harzduft der Kiefer durchdrungen – Sommergeruch aus der Kinderzeit her, Terpentinduft des Bodens mit seiner federnden, dämpfenden Schicht aus schon braun gewordenem, abgestorbenem Kieferngezweig, es wird Zeit, daß wir heimkehren. Durchtränkt vom Schwefel des Schlamms und der Wässer, gebrannt von der Sonne, lastlos (und wertlos) gemacht vom geregelten Leben als zahlende Gäste, wirr von Gerede und flächiger Phrase, verunsichert vom Verlust des gewohnten Koordinatensystems: Hier oder da, Ost oder West, Freund oder Feind – ich liebe es klar: Da ist mein Haus, da ist meine Stadt, da sind meine Leser, da sind meine Dichter und Bundesgenossen.

Bücher warn mit mir als andere Heimat, Stift und Papier – so hab ich mich eingehöhlt in die Fremde, die mir vertraut ist und die ich, gereinigt von allem, liebe mit einer schamhaften Liebe. Hätte ich nicht längst die Sprache erlernen müssen und nicht nur »d'akŭjem«, wenn es mir ernst wäre mit dieser Liebe? Die abgerissenen *Gespräche* mit den Kellnerinnen und Bademeisterinnen, den Zimmerfrauen, den Portiers und den Damen der Hoteldirektion verdanken wir ihrer mehr oder weniger reichen Kenntnis der deutschen Sprache. Bei den meisten ist der Wortschatz beschränkt auf die Sphäre der unmittelbaren Kommunikation, die die Arbeit verlangt. Zahlen bis zwanzig, um die Massagenummern ausrufen zu können, für die metallene Spirale, durch die Kühlwasser fließt und die man nach der *Anwendung* im Schlamm oder Schwefel auf die linke Brustseite gelegt bekommen kann, die widerlichen, von den *Kurdamen* immer wieder begeistert belachten Begriffe »Kalte Kavalier«, »Kalte Kamerad« ... »Wollen Sie Herzkavalier?«, »Herzkamerad wollen Sie?« Gekreisch und Gekicher... Wenn die alten Frauen eingerollt sind in die leinenen und wollenen Decken, sagt die Badefrau: »Wie *Baby*! Nun schlafen in *Heia* …« Und die Wienerin freut sich und lallt, um dem *Baby-Bild* zu entsprechen …

Manche der schon Jahrzehnte im Hause Arbeitenden verweigern sich einfach dem Deutschen. Ein alter Hausdiener spricht kein Wort Deutsch, obwohl er täglich beim Fahrstuhl und dem Gepäck mit all den Deutschsprechern aus der Schweiz, der Bundesrepublik, aus Österreich und der DDR zu tun hat … Der eine der zwei Bademeister, die das Schwimmbecken im Garten betreuen, kommuniziert fast nur mit Gesten und Lächeln. Ein fester, sympathischer Mensch, nicht mehr jung, und ein uns rührender Zug: Er bringt seine Frau mit, eine einfache Frau, halb versteckt hinter der Rotunde der Umkleidekabinen liegt sie im Liegestuhl und genießt ihr alterndes Leben, nahe dem Mann, der bei ihr sitzt, mit ihr spricht, wenn er nicht gerade Liegestühle und Holzpritschen aufstellt oder die Wassertemperatur kontrolliert … Wir wissen, wieviele Kinder die Kellnerinnen haben und wieviele Enkel, wir treffen sie am Markt, in den Geschäften, bei der Blasmusik im Park oder in der Bacchusvilla, dem Restaurant auf den Höhen, das seine Vergangenheit mit Beethoven schmückt, ein Blick in die Weite von dort! Und angeblich soll er (bei Mondschein) die Mondscheinsonate dort oben geschrieben haben …

Um über den Graben zu kommen, der uns von den Einheimischen trennt, um uns kenntlich zu machen in unserem Wollen und Leben, fehlt uns der Ausdruck, fehlt uns die Sprache, wir reden immer ins Ungewisse, ins Grundlose. Bei den meisten ist es nicht mehr als ein Tasten, ein Versuch, ihre Existenz zu erahnen (nicht zu erfassen). Trotzdem haben wir mit der Zeit manche Lebensgeschichte kennengelernt, haben begonnen, uns *Bilder* zu machen, die natürlich, wie immer, verfälscht sind: Von denen, die uns Geschichten erzählten, und von uns, die sie aufnahmen ... Man müßte ein Haarsieb haben, durch das man sie treibt oder seiht ... Aber dann wieder frage ich mich, ob ich das überhaupt will: Wahrheit und: Leben wies ist? Habe ich nicht längst den Verdacht, daß die Erzähler, die mir am besten gefallen, die Wahrheit im strengen Sinne nie sagten, daß sie sich nur vom Leben Impulse eingeben ließen – eine Gestalt irgendwo, ein Blick irgendwann, ein flüsterndes Haus, eine schweigende Stadt –, und schon setzte ihre Phantasie sich in Gang, und sie erzählten drauflos, aber als wär es *naturreine* Wahrheit, sagten sie *ich* beim Erzählen: Ich war da und da, dann und dann, und da hab ich gesehn ...

Manchmal begreife ich das mosleminische und wohl auch das altjüdische Verbot, lebende Wesen abzubilden. Verzerrung wirds immer, oder wenn nicht Verzerrung: Überbelichtung, Unschärfe durch die verzückten, verliebten Blicke (und Worte) der Dichter.

II

Vier Jahre sind vergangen, seit ich »Mai in Piešťany« zu schreiben begann, das zweite Jahr in Zimmer 230 war auch das letzte in jenem Raum, der mir allein gehörte und mir lieb war wegen der Möglichkeit zur völligen Abgeschiedenheit, Erwin bewohnte die 231, es war nahe und fern genug, wir konnten über den Balkon miteinander *kommunizieren,* wenn wir Lust hatten; kleine Gespräche und Grüße *zwischendurch* – aber schon im 81er Jahr gab man uns die Einzelzimmer nicht mehr, weil es zu wenig Einzelzimmer hat und Ehepaare nun einmal zusammen wohnen sollen. Seit drei Jahren bewohnen wir die 318 im 3. Stock, zwei Räume mit einer Trenn-Tür, so daß Schreiben und Diktieren doch nebeneinander geht. Ich sitze am gleichen Frisier-Schreibtisch wie in der 230, nur daß die Tischplatte mit dunkelblauem Samt belegt ist und der Spiegel nicht mehr verhängt: Ich habe mich abgefunden mit mir oder mich an den Spiegel gewöhnt, wenn ich aufschaue und mein Brillen-Gesicht sehe, die schwarzen Augenränder des runden Drahtgestells, die es eulenhaft machen, so sehe ich es gar nicht als Gesicht, es ist nur noch der Gedanke, der mich aufsehn macht in einem Zögern, ob ich *es* fasse...

Wieviel Leben ist inzwischen geschehen, geboren, verloren, und je mehr ich erlebe und miterlebe und höre, desto weniger leuchtet mir ein, desto weniger Schlüssiges ist zu allem zu sagen: als daß eben Schluß ist einmal und daß nur der Tag zählt, an dem man es gut oder schlecht hat, gut oder schlecht macht. Und wehe, man versäumt, seine Spur zu ziehn, seine Zeichen zu kratzen in die beinerne Wand... Freunde sind inzwischen gestorben, die, als ich begann, »gesund beim Leben« waren, wie unser nie gesehener Korrespondent Jakob Koschke aus Tscheljabinsk zu schreiben pflegt: »Meine liebe Frau Elsa und ich, alle Kinder, Enkel und Urenkel sind noch gesund beim Leben...« So war im Mai 1980 auch unser Freund Kynaß gesund beim Leben, der uns voriges Jahr starb, zwei Tage, nachdem wir in Piešťany ankamen. Am 28. April reisten wir, am 30. starb er in Dresden, unsere Söhne und unsere Freundin Dr. D. beschlossen, uns nichts zu sagen von diesem Tode, am Telefon, und so schrieb ich ihm Mitte Mai einen langen Brief, da war er längst »unter der Erde« ...

Er starb in Dresden, wohin er einen Tag zuvor, mit dem eigenen Auto, gefahren war, um *die Schreiers* zu besuchen. Unsere Freundschaft mit Peter und Renate Schreier verdanken wir ihm, der jahrelang Musikkritiker des »Neuen Deutschland« war und den wir als *jungen Mann* 1960 in Schulzenhof kennengelernt hatten. Damals machte er sein Diplom und schrieb eine Arbeit »Strittmatter als Journalist«, später studierte er zusätzlich Musikwissenschaft und wurde ein *Kenner des Fachs*, ein Mann, der für seine Zeitung durch die Welt fuhr: nach Japan und Schottland, nach Budapest, Moskau, Paris und nach Salzburg, und er hatte so viel Merkwürdiges gesehen und erlebt, so viele Menschen kennengelernt, und all die Erfahrung, alle die Schönheit der Welt, die er sah, konnte nie eingehen in das, was er schrieb für die Zeitung, das war doch fachlich bestimmt. Und immer hatten wir ihm geraten: Schreib auf, was du siehst und erfährst, mach was andres, was *Eignes* daraus, du kannst es, faß Mut zu dir selbst, laß dich nicht *aufbrauchen* vom Tage... Er versprach es und wollte es auch, er träumte davon – und nun ist er schon über ein Jahr nicht mehr bei uns, ist vergangen, wenn wir auch seiner gedenken...

Als ich diese Zeichen der Piešťanyer Mais zu malen begann, – im Mai 1980 – hatte er gerade einen Arzt-Termin versäumt, um den er selber nachgesucht hatte: ein Szintigramm sollte gemacht werden, 1979 hatte man bei ihm sogenannte *kalte Knoten* in der Schilddrüse festgestellt, gutartig, wie es hieß, wenn er die entsprechenden Tabletten nehmen würde, könnte er uralt werden damit... Aber er hatte Angst und wollte eine Kontrolle. Doch die Untersuchungstermine muß man lange anmelden, und dann fiel gerade der Internationale Dirigentenwettbewerb in Budapest auf den Termin, und er war in der Jury und wollte nicht fehlen. Ein neuer Termin mußte bestellt werden, – er fuhr hier- und dorthin, im Sommer nach Salzburg, von Salzburg direkt zu einem *Kulturprogramm* bei den Manövern der Warschauer Pakt-Staaten, und Anfang September rief er mich an, denn wir hatten eine Verabredung, nach Dresden zu fahren, er wollte uns hinunterchauffieren –

er sprach mit ganz heiserer Stimme, und ich fragte so fort: »Was ist los? Warst Du beim Arzt?« Er sagte »Vielleicht hab ich mich durch den Klimawechsel ver kühlt, beim Arzt war ich nicht, ich hab Angst, er sagt es ist *Krebs* ...«

Am 16. September fuhren wir nach Dresden, Erwin und ich hatten eine Lesung im Klub auf dem *Weißen Hirsch*, den 17. verbrachten wir bei Schreiers in Lungk witz, und wir alle redeten in ihn hinein: »Deine Stimme gefällt uns nicht ..., geh zum Arzt!«

Wir fuhren in die Wälder bei Lungkwitz, spazierten dort, er und ich ein wenig hinter den anderen, und er sagte: »So wie ich davon träume, euch eines Tages ein *eigenes* Buch auf den Tisch zu legen, träume ich davon, euch meinen Lieblingsort in der Welt zu zeigen der ist bei Tambach-Dietharz in Thüringen, hinter Gotha, da war ich als Kind mit den Eltern, und da gibt es einen See und eine Höhe über dem See, und von dieser Höhe möcht ich mit euch auf den See und über das Land schaun ...« Ich sagte: »Warum soll aus den Träumen nichts werden? Eines Tages fahrn wir zu deinem See ...«

Als ich heimkam aus Dresden, fand ich einen Brief aus Tambach-Dietharz, jenem Ort, von dem ich eben zum ersten Mal gehört hatte. Der Chefarzt eines *Sanatoriums für Krebsnachsorge* schrieb: Man arbeite in der Therapie mit meinen Gedichten ...

Eine Woche später flog ich mit einer Gruppe Filmleute nach Georgien, wo ich genau fünfzehn Jahre zuvor, am 5. Oktober 65, zum ersten Mal *öffentlich* als

Dichter aufgetreten war. Gerade hatte man einen Gedichtband von mir auf georgisch herausgebracht, und ich sollte zum *Jubiläum* mit meiner Nach-Dichterin, der Dichterin Medea Kachidse, am selben Ort, im selben Saal der Universität, zusammen lesen...

Als ich abgereist war, schickte Erwin an Achim Kynaß ein Telegramm: »Warst Du beim Arzt? Du wirst beobachtet!«... Da ging er, aus *Angst vor Strittmatter*, zum Arzt. Als ich zurückkam, waren die Untersuchungen im Gange, am 9. Oktober die Diagnose: Krebs. Operation, Bestrahlungen, immer wieder der *große Trunk* – Radium-Jod, schon Metastasen in den Lymphdrüsen, in beiden Lungenflügeln! Er, der Nichtraucher, der uns Raucher immer tadelte: Denkt dran, Ihr seid gefährdet vom Krebs... Offenen Auges, von Anfang an eingeweiht in die Krankheit, hat er noch zweieinhalb Jahre gelebt, hat dem Leben abgerungen, abgezwungen, was an Bewegung, körperlicher und geistiger, möglich war. Bis zur Narkose redigiert und geschrieben, für den Komponistenverband, für die Zeitung, sofort wieder unterwegs, wenn er aus dem Krankenhaus war...

Seine Kollegen und Leiter haben sich musterhaft menschlich verhalten. Sie ließen ihn jede Sache machen, die er machen konnte und wollte, er schrieb und veröffentlichte seine Kritiken, Überblicke, Interviews, man ließ nicht zu, daß er vom *Krankenstand* in die *Invalidität* überführt und daß seine Stelle von einem anderen besetzt wurde... Noch zwei Sommer in Salzburg – und immer wollte er, wir sollten mit ihm dort sein, aber es wurde erst im Sommer nach seinem Tode – und noch im September 82, genau zwei Jahre nach jener Dresden-Fahrt mit der drohenden Krankheit, kochte er in seinem Köpenicker Haus ein großes »Thüringer Essen« für Schreiers und mich...

Wenn er im *Strahlenbunker* war und wieder sprechen konnte, rief er mich an, überhaupt rief er an, wenns anging, wir führten stundenlange Gespräche, ich sagte: »Ich weiß, ich kann dir nicht helfen...«, er sagte: »Du hilfst mir, wenn du mit mir sprichst...« Keine Täuschung war möglich über den Prozeß, dem er verfallen war, und als ich ihn das letzte Mal sah, zehn Tage vor seinem Tode, schwer atmend zwar, aber wie immer erregt von allem, was uns beschäftigte, und wie immer sorgfältig, mit einer Art *Kunstsinn*, gekleidet, als ich ihm gegenüber saß beim Teetrinken in der Küche unserer Berliner Wohnung, einem Platz, an dem er gern saß und oft, in Jahren und Jahren, gesessen hatte da war mir Leben ein ungeheures Rätsel, die *Maschine* Mensch, die man anhalten, die stehenbleiben kann, ein grausiger Scherz... Jetzt war ja doch alles noch da Blicke und Gesten, Sprache, Gedanke, der sich entzündete an Dingen, die einem Menschen, der doch im *Innersten* wußte, daß er *verurteilt* war, hätten gleichgültig sein müssen... Anfang Mai sollte er wieder in die Klinik, und er sprach den Satz der Selbsttäuschung von dem alle Krebs-Ärzte berichten: »Aber ich hab dem Professor gesagt, wenn ich mich dieser Viecherei unterzieh, dann solls endlich mal besser werden, und nicht nur so *statisch* verharrn...«

Ich sah die Konturen seines Gesichts, die Skelettstruktur, das Gerüst seiner Hände unter der immer olivfarbenen Haut – er sah aus wie ein Grieche, schwarzhaarig, schwarzäugig, Augen mit Ölglanz –, und ich dachte schaudernd: *So* wirst du zerfallen und sitzt jetzt mir gegenüber im kirschroten Sweater überm weißen Hemd mit dem kirschroten seidenen Schal, der genau zur Farbe des Sweaters gewählt ist, im dunkelblauen Blazer, eleganter Mann, der wie selten einer von uns die Welt befahren hat und sich auskennt mit Menschen und Sitten da draußen. Ist es das letzte Mal, daß ich dich sehe? Das hatte ich in diesen zweieinhalb Jahren schon mehrmals gedacht, am Anfang der Krankheit fast immer, nun hatten wir uns alle geeinigt, an ein Wunder zu glauben... Aber er hatte mir ja von seinen Todesängsten gesprochen, von den Nächten ohne Atem, von den Rettungen in letzter Minute, die sich im vergangenen Halbjahr gehäuft hatten, und einmal hatten wir miteinander in seinem Haus eine Aufnahme von Schuberts »Unvollendeter« gehört, die Peter Schreier zu einer Gewalt heraufdirigiert hatte, die ich bisher an ihr noch nicht kannte, und das war *das* Motiv, *sein* Motiv, »unvollendet«, mit siebenundvierzig Jahren, gestorben, das Buch nicht geschrieben, nicht aufgezeichnet, wie *er* die Welt sah, wie sie *ihm* begegnete... Eine große Anzahl Kritiken, Aufsätze, Mitarbeit an musikwissenschaftlichen Werken, an Aufzeichnungen Peter Schreiers, aber nichts, was den *Menschen* Hans-Joachim Kynaß *aufscheinen* läßt... Fotos aus Salzburger Sommern, auch im letzten noch: Reklamebild für Sonnenbräune und blühendes Leben, Gespräche der Freunde, in denen sein Name genannt wird – für manche, denen er nahestand, ist das Leben verändert durch seinen Tod – mich hat seine Krankheit gezeichnet, ich habe die ganze Zeit mit ihr, gegen sie gelebt, habe versucht, Kraft abzugeben, obwohl ich doch wußte, daß es nicht *hilft*... Und dann, nach dem Tode, stellt sich heraus, daß wir nur Bilder seiner Existenz kannten, die er uns vermittelte, daß diese Existenz Abgründe hatte, von denen wir nichts ahnten, Lebensverwicklungen, von denen wir nicht wußten, aber warum sollten wir von ihnen wissen? Uns war er zwanzig Jahre ein Freund, er lebte mit dem, was wir taten und schrieben, immer *gedachte* er unser, er kannte die Familie, sah unsere Kinder zu Männern heranwachsen und vergaß nie ihre Namen, was vielen unserer Freunde geschieht – und wieso sollten wir von ihm verlangen, sich uns ganz zu eröffnen, sein Leben preiszugeben mit seinen Leidenschaften und Dramen, taten wir es denn mit dem unseren? Entwarfen nicht auch wir *Bilder* von uns, die nur Teile von Wahrheit enthielten, auch wenn alles an uns sichtbar und *übersichtlich* erschien?

Meine alte Ahnung, daß Aufrichtigkeit nur *bedingt* möglich ist, daß wir *wahrhaftig* nicht sein können, ohne zu zerstören, bestätigte sich mir an ihm, an dem, was ich von anderen erfuhr... Mir bleibt das Bild des Freundes, vom ersten Gespräch auf der Eckbank unserer Wohnstube im alten Haus in Schulzenhof (Erwin hatte ihn bestellt, es dann aber vergessen, Kynaß war zu Fuß von der Bahnstation Köpernitz bei Rheinsberg gekommen, es war ein Wintermittag, Erwin hielt Ruhepause, die immer schon, wegen seiner Frühmorgen-Schreibzeit, *heilig* sein mußte, und ich versuchte ein verlegenes Gespräch mit dem fremden Studenten, von dem ich nichts wußte). Vom ersten Bild bis zu jenem letzten: am langen dunklen Eichentisch im Eßraum der Berliner Küche, vor der dunklen getäfelten Wand – ich hatte einen *Sitzungstag* hinter mir und nur ein Verlangen gehabt: ein heißes Bad zu nehmen und dann zu schlafen, aber ich wußte, daß Achim Kynaß anrufen würde, ich hatte ihm gesagt, daß ich »in die Stadt« kommen wollte, und wir hatten verabredet, daß er mich anrufen sollte, »um vorbeizuschaun«. Als gegen acht Uhr das Telefon klingelte, war ich versucht, den Hörer nicht abzunehmen, ich war so erschöpft! Aber ich wußte, das durfte ich nicht...

Er rief aus der Redaktion an, wo er immer noch »aufräumte«, seine Sachen ordnete, um sie zu »hinterlassen«. Es wurde neun Uhr, ehe er kam, und als er ging, war es gegen zwölf, und er brachte mir, da wir uns im Februar nicht gesehen hatten, zum Geburtstag »nachträglich« ein Bukett aus Strohblumen und tintig gefärbten Gräsern mit, das in einem Birkenrindenpokal steckte. Ein aufwendiges Ding, das ich abscheulich fand (nie hatte er mir in zwanzig Jahren etwas Abscheuliches geschenkt, immer nur Schallplatten, die etwas *Besonderes* waren) – und nun steht und steht dieser Strohblumenstrauß mit den violetten Grasrispen auf seinem birkenen Fuß, steht auf der Fensterbank unserer Küche in Berlin, und ich räume ihn sorglich beiseite, wenn ich die Fensterbretter wasche, die Fenster putze, eine Reliquie, die keiner antasten wird...

Im Sommer einundachtzig starben im Abstand von zwei Tagen Erwins zweiundneunzigjähriger Vater und unser Moskauer Freund Sergej Lwow. Der alte Vater hatte sein Leben fast bis zum letzten Tage mit vollem Bewußtsein gelebt, der Moskauer Freund, schon lange krank, war kaum sechzig... »Serjoscha, ich hab mich verklebt« – so nannten wir ihn in der Familie; der Satz entstammte einer seiner unerschöpflichen Geschichten: wie er 1945 in Berlin einrückte, in Karlshorst logierte, wo er bei wichtigen Dingen Dolmetscherdienste leistete, und wie ein Kamerad, der das Deutsche nicht kannte, in der requirierten Villa, anstatt einer Zahnpastatube, ein Klebemittel erwischte und den Satz herausquetschte: »Serjoscha, ich hab mich verklebt...«, und ein lustiger Kirgisenbursche lief im Schmetterlings-Kimono der geflohenen Hausfrau umher und brachte die Stiefel der jungen Offiziere auf *Hochglanz*... Wir erwarteten Serjoscha zu Besuch, zweimal schon hatten wir Zimmer in Berlin und Weimar abbestellt, wir hatten nach Moskau telefoniert und wußten, es ging ihm nicht gut: er hatte ein *Tief*, aber das gabs bei ihm öfter, nach Monaten rasender Tätigkeit – Reisen und Schreiben; er war Journalist in der Literatur, einer, der Bücher schrieb über Bücher. Er war in den Zeitschriften ebenso zu Hause wie im Rundfunk und entfesselte Diskussionen, deren Brandungen ihn dann zu verschlingen drohten... Nun warteten wir, daß das *Tief* vorübergehen und er überschäumend erscheinen sollte – aber es kam das Telegramm – »Serjoscha ist tot«. Infarktus, wie er zu sagen pflegte, es war schon der dritte. 1967 hatten wir uns im Jaltaer Schriftsteller-Heim kennengelernt, er war einer unserer treuen Freunde und Korrespondenten geworden, hatte unsere Bücher rezensiert, Vorworte zu ihnen geschrieben, und mit ihm hatten wir das neue Haus in Schulzenhof eingeweiht, er war der erste Gast am großen Tisch in der Diele... Tage- und nächtelang hatten wir da geredet, gelacht – vor allem, ihm zugehört, denn er war ein Mensch, der überall *sah* und der das Gesehene aus Worten aufbauen konnte. Einer der großen mündlichen Erzähler, die vor lauter Leben nicht die Zeit finden, schriftlich zu fixieren, was sie erleben, die sich nicht zurückziehen können auf die langwierige Arbeit der Umsetzung von Leben in Sprache. Über Literatur, vermittelt, das ja, und doch hat er Stücke Erzählung hinterlassen, die zeigen: *es* war in ihm angelegt, er hätte es ausformen können... wenn nicht die Unruhe gewesen wäre, das manische Umgetriebensein, etwas war zu viel oder zu wenig vorhanden, um das Talent zu beruhigen, zur Harmonie und großen Leistung zu bringen... Aber was für ein wunderbarer Mensch, welche Bildung, welche Begeisterung für die Kunst... Unersetzlich auch er, unser Freund...

Im Februar 82 starb, nach einem rasenden Krankheitsverlauf von nur sechs Monaten, in Tbilissi Surab Kakabadse, Professor der Philosophie und heimlicher Dichter, wie sich nach seinem Leukämie-Tod herausstellte, Bruder des Germanisten Nodar Kakabadse, erst Mitte der Fünfzig.

Am Abend vor meiner Abreise aus Georgien gab er für meine Filmfreunde und mich ein Essen in seiner Tbilissier Wohnung. Filmleute, Maler, Schriftsteller warn da, unsere Freunde, die Germanisten, ein *großer Abend* – und in unserem Film über Georgien lebt er weiter, hebt das Glas beim Bankett und ist – zwar wie immer philosophisch *gedämpft* – gesund und lustig beim Leben ...

Diese Tode haben mich getroffen in den letzten Jahren, mit ihnen muß ich leben wie mit den vielen Krankengeschichten, die mir Leser schreiben, die *verurteilt* sind und es wissen ... Eine junge Dichterin aus Gotha (nah Tambach-Dietharz) leidet seit der Kindheit an einer schrecklichen Krankheit. In ihrer Einsamkeit hat sie die Tröstungen der Weltkunst erfahren, und sie will eine Spur hinterlassen in ihren Gedichten. Heldenkampf eines jungen Mädchens gegen den Tod, das man fragt: Warum schreiben Sie nicht über optimistische Themen?, wenn sie etwas zu veröffentlichen versucht. Dabei sind ihr erschütternde Zeilen gelungen, ganz ohne Wehleidigkeit, im Bild der Natur, fast von sich absehend, den Tod *objektivierend.*

Die gedankenlose *Opposition* gegen den Tod, die im Verdrängen besteht, die den Tod als Zufall, nicht als gesetzmäßig betrachtet, begegnet mir immer wieder. – »Warum schreiben Sie über den Tod?« »Ihre Gedichte machen mich traurig ...« »Es gibt doch so viel Schönes im Leben ...«

Neulich gabs eine nachtlange wütende Streiterei darüber, nachdem ich in der Marzahner Bibliothek Gedichte gelesen hatte. Die Jugend war auf meiner Seite, aber eine ältere Frau sagte: »Natürlich gibt es so kranke Menschen, aber ich will es nicht wissen ...« »Und wenn *Sie* die *Verurteilte* wären?« »Ja, dann ...«

Alle diese Tode und Krankheiten beschäftigen mich so wie die *Reduktion* von Leben, die wir unablässig erfahren, wenn wir altern. Bis zu einem bestimmten Punkt war alles auf *Zukunft* projektiert: Das Heranwachsen der Kinder, ihr Wohlsein, ihre Bildung, die *Programmierung* ihrer Geschicke, Gewinn neuer Freunde, Beziehungen nach hier und da, Aussicht auf Erweiterung der Lebensverhältnisse ins Große – von jenem Punkt an, als die Söhne erwachsen wurden und eigenes Leben begannen, als sich zeigte, daß die Familie eine *Hilfskonstruktion* war, die zwar nicht ungültig wurde, aber nicht mehr notwendig ist, als Freunde wegstarben oder weggingen von uns, begann die Suche nach *Sinn,* der einfach *da* sein, nicht konstruiert werden sollte: eine Blume ansehen und sagen: so sieht sie aus, ein Gewebe aus Worten machen, das eine Erscheinung einfängt mit einem Gefühl, Kunstgebilde *aufsaugen,* in denen diese Verwandlung geschieht. Etwas tun, das andren zugute kommt. Ich habe keinen Glauben und keine Philosophie. Ich kenne nur Angst und Überwindung der Angst. Halt in den Worten, aus Angst vor Verlust und Hunger nach Schönheit; ich denke mir mein Leben ganz anders, als es ist, und schreibe die Abgründe zu, in die ich stürzen könnte...

Die Liebe ist kein Halt mehr, wie ich vor zwanzig Jahren glaubte und schrieb: »Von unsrer Liebe bleibt, daß wir uns halten, kein Gras wird auf uns sein, kein Stein...« In meinem 55. Jahr fühle ich mich auf mich *zurückgeworfen,* ohne Vermittlung durch Tröstendes: Ich und die *Welt.* Das ist die *nackte* Aufgabe, mit der ich diesen Mai nach Piešťany gekommen bin (keine Einkleidung der Aufgabe mehr wie für Kinder, die anstatt mit Ziffern mit Äpfeln rechnen), und nun: Wie sehe ich, nach Kenntnis der Aufgabe, unablässig von mir ab, um die Erde zu sehen, mit Geduld und Genuß an ihrer langsamen (oder rasenden) Drehung? Es ist ja nur eine Sache des Blicks, denn die Sinne sind täuschbar. Habe ich mich nicht gerade beim Flug von Prag nach Bratislava faszinieren lassen von der Aufhebung der Materie durch Beschleunigung? Der riesige plumpe Propeller, auf den ich sah, als die Maschine noch stand, verwandelte sich unterm Kreisen, hob sich auf, zuerst war da noch ein Regenbogenrand, dann nur noch eine Ahnung von drehendem Staub, vollkommen durchsichtig: Ich sah die ganze Zeit, durch das rasende *Kompakte* hindurch, einen Wolken-Pamir: täuschende Gletschermassive mit eigenen Himmeln... Kann ich es leisten, mich nur zu Auge und Ohr zu machen, zu einem Sinneninstrument für die Erscheinung der Welt? Will ich nichts mehr für mich selbst als Wiederholung des täglich Bekannten? Kann Dichtung leben ohne den Reiz, über Grenzen zu gehen zu neuer Erfahrung? Ich weiß es nicht, ich weiß es noch nicht. Oder ist die neue Erfahrung längst da, und es heißt, über die *innere* Grenze zu gehen, auf den Grund der Entfremdung? Statt Blumen zu malen am Rande des Abgrunds, in den

Abgrund stürzen und sagen: So sieht es da aus, oder, um noch wahrer zu sein: Ich bin längst darin? Aber auch das ist nur eine Sache der Sicht: Man kann die Drehung des Rotors anhalten und hat wieder ein Kompaktes vor sich, an das man sich lehnen oder mit dem man den Blick verstelln kann: Keine Durchsicht mehr in den Raum, in den Un-Raum.

Hier hat sich dieses Jahr eine Nachtigall aufgemacht, alle *Abgründe* zuzusingen... Jahrelang war keine im Kleinpark hinterm »Thermia«-Hotel, dieses Jahr haust sie in den Kastanien und Linden und singt Nacht und Tag. Auch heut, wo der Waagwind so wild geht, daß er die schweren Blätter der abblühenden Kastanien um und um wendet.

Vor ein paar Tagen wanderten wir auf dem jenseitigen Ufer des »Schlammärmels« ins Nachbardorf, um zu sehen, was es an Veränderungen gibt und was wir noch wiedererkennen. Da, in einem Silberpappelgebüsch, sahen wir wieder eine Nachtigall. Die erste gemeinsame hatten wir 1973 in Szigliget am Balaton gesehen, sie hüpfte am Wege, sprang dann in einen Syringenstrauch und sang – sonst hätten wir nicht gewußt, daß es die Nachtigall war, so unscheinbar ist sie, der Sperlingsvogel. Einmal sah ich an einem heiteren Sonntagmorgen, auf dem diesseitigen Ufer des »Schlammärmels« allein gehend, meine zweite Nachtigall und merkte mir, daß sie braun war, nun sahn wir sie wieder. Wir suchten und suchten im Laube nach ihr, die, den Raum täuschend, sang, erst als sie ein paar Meter weit aufflog in einen höheren Baum, gelangs uns, sie zu sehen. Wenn der Wind die silberne Unterseite der Espenblätter nach oben wendete, wurde sie sichtbar, dann hob sie sich ab, glättete sich aber das Laub, so schien sie ein Blatt unter Blättern, sie zitterte mit dem zitternden Zweiglein, sang aber und sang, und sie hielts länger als wir, wir verließen sie, um ins Dorf mit dem Quellteich am Berghang zu gehn, zu dem *einen* waschblauen Haus und den alten Frauen am Hof mit den Hühnern und zum Nußbaum hinterm Bretterzaun und zu Goldlack und kleinblütigem Flieder. Zu Reisigrauch- und Dorfgerüchen vor allem. Aber wir gingen mit Glück, mit dem Gefühl eines Glückes, das außer uns war: Wir hatten die Nachtigall wieder gesehen! Wie begünstigt warn wir, die da gingen als eigentlich glücklose Menschen, denn wir waren zerfalln miteinander, gefallen in einen *Abgrund.* Sang sie ein Zeichen für uns? Bei uns *daheim* (aber gab es das noch?) gibts keine Nachtigall, wir haben keine großen Laubbäume in der Nähe, in denen sie hausen möchte, unsere Kiefern und Birken und die einzelnen Weiden sind kein Lebensumland für sie, wir müssen sie suchen fahren im Mai, wenn sie singt... Nun also singt sie uns Nacht und Tag, man hört sie über den Wind hinweg und durch die geschlossenen Fenster, wie erst schlägts an und herauf, wenn man beim offnen Balkon steht über den Kronen der Bäume. Und wie unauslernbar ist ihr Gesang, nicht der Ruf eines Vogels, dessen Kurzform sich nachahmen ließe... Unübertragbar in Worte, so oft man es auch versucht, nicht die Erscheinung, nur das Gefühl kann man geben, anschlagen mit kürzestem Triller...

Auch die Brunnen springen dieses Jahr wieder, über deren Verstummen ich mich 1980 beschwerte. 1984 ist das erste Jahr, in dem sie auch alltags wieder *arbeiten.* In den letzten Jahren wurden sie nur an Festtagen *gezündet.* Nur der modernistische Jurten-Brunnen am Ende der Parkallee, die zum neuen Rosenhag führt, ist scheintot, wie seit Jahren, sprachlos und ohne eigenen Ausdruck, denn andere Brunnen haben auch stumm ihren Ausdruck: steinerne Knaben, mit Fischen spielend, auf Fischen reitend, am einen, ein Baum aus gläsernen Traubenkugeln, auf denen das Licht spielt, der andere. Das ist der beim Markt, der Sammelplatz der Zigeuner... Auch die *funktionelle* Wasserkunst beim Hotel »Slovan«, die Strahlenbündel aus Wasser kreuzt über einem langen hellblau gestrichenen Becken, in das die Wasser sänftiglich stürzen und das die Tauben so lieben, ist dieses Jahr wieder in Gnaden zugange... Ach, alles ist da, was mir lieb ist, die Bäume, die Bäume – die Platanen, die sich so spät erst belauben, deren Stämme, gefleckt in verschiedenem Grau, einen oliven Schimmer bekommen durchs maigrüne Laub... – Und wieviel neue Bäume wurden in den letzten Jahren gepflanzt! Das *Unland* am Ende der Insel, durch dessen Ödnis wir vor Jahren noch querfeldein gingen, das Land der Fasanen und Rebhühner, wurde inzwischen begärtnert und dem Park zugeschlagen, auf den die »Balnea«-Gäste von ihren Glasbalkons sehen, die Monotonie der Fassaden spiegelt erhabenen Abendschein, und manch einer steht auf seinem abgeschachtelten Außenraum und sieht gen Westen ins feurige Rot über Wiesen, Städtel und Park, als gäbe es etwas zu denken dabei... So Steigen und Sinken der Waage in einem... In vier, fünf Jahren sind die Setzlinge von Ahorn, Weiden, Kastanien und Pappeln zu stämmigen Bäumlein geworden, die das Schlimmste hinter sich haben und stehn, wo sie stehn – dafür hat man jenseits der Staubrücke, die den Kulturteil der Insel vom offenen Land trennt, am rechten Ufer der Waag, rechts von unserem pfingstlichen Weg, hinter dem Damm, da, wo die Wasser der Waag nicht hinüberreichen, eine ganze Wildnis Bäume gerodet: Eichen, Kastanien und Pappeln und Weißdorn und Rosengehege von üppiger Wildheit, Hügel Holunder mit ihrem nun für immer vergangenen ewigen Maiduft, denn hier blüht der Holunder im Mai, nicht im Juni wie bei uns *daheim*. Man hat gewaltige Bäume geschlachtet und Hügel mühsam geebnet, um Land zu gewinnen, neue Parzellen für Gärtner und deren Kleinkunst. Auch den Teich hat man zugeschoben, in dem die Unken regierten mit goldenen Rufen aus öligem Wasser und schlammigem Grund. In unserer Erinnerung rufen sie weiter tönende Stille, Urlaut der Wildnis, die nun zu *menschlicher Landschaft* wird... Wir haben uns an *Verwandlung* gewöhnt, den Verlust hier überwächst das Entzücken an drei schon im frühen Mai vollblühenden Büschen gelber Kletterrosen, die im Stadtpark erschienen, im Vorjahr warn sie noch nicht zu sehn, sie müssen Jahre gebraucht haben zum Blühen, oder, im Herbst neu gepflanzt, hervorgesprudelt sein aus üppigen Wurzeln: Luftsprünge aus Lust, die, schmetterlingsgelb, vom Föhnwind taumelnde Bienen locken, um zu Leben zu kommen, zu roten Früchten des Herbstes...

Heut bin ich ins Wohnzimmer gewechselt, an Erwins Arbeitsplatz, weil er, der die hier üb-
iche Sommergrippe aufgefangen hat, es vorzieht, im
Bett zu bleiben, und ich kann nicht schreiben, wenn
iner mir zusieht... Der Tisch, an dem ich sitze, wie
las ganze Mobiliar des Zimmers samt Glasschrank,
Vasen und plastischem Kleinkram, stand früher in dem
larunterliegenden Raum der ersten Etage, der vor ein
paar Jahren im »Stil der Epoche« renoviert wurde. Ich
rkannte den Tisch gleich, als wir vor drei Jahren die
18 bezogen. 1976 habe ich an ihm (in der 118) über
Bella Chagall geschrieben – seither ist er *mein* Tisch, so
iele Menschen an ihm inzwischen auch gesessen ha-
en mögen. Was ich über Bella Chagall schrieb, war
vichtig für mich, ich gewann ihrer Existenz Erkennt-
isse für mein Leben ab: gewann oder formulierte (ich
atte sie längst) Einsicht in mich: Gefahr der Anleh-
ung an den *dominierenden* Mann... Das ist mein
Denk- und Lebenszwiespalt geblieben... er ist nicht
ugewachsen mit den Gedichten, die ich schrieb, den
Büchern, die ich veröffentlichte, den Briefen, auf die
ch zu antworten suchte.

Vielleicht kommt das Gefühl der Unbestimmtheit,
ler Verschwommenheit und Unsicherheit vor allem
loch daher, daß ich mich von Anfang an – also seit

Jahrzehnten nun schon – angepaßt habe an Bedürfni
und Willen des Mannes, mit dem ich lebe? Daß ich nu
in einer *Sklavensprache* rede und schreibe, daß scho
ein Relais fällt, wenn ich etwas sagen will über mein
Gefühle, mein Denken, mein Leben? Und Rede
Euphorien wie die vom pfingstlichen Maimorgen an
griechischen Ufer der Waag schäumen aus Mitlei
und Angst und wider besseres Wissen aus mir herau
Unsere Beziehung ist auf Ungleichheit gebaut – de
Unterschied an Alter, Erfahrung und Wirkung nac
außen war zu groß, als daß er hätte zuwachsen können
er wurde nur zugeredet, zugeschrieben (in Briefen übe
unser Leben) und zupraktiziert im täglich Notwendi
gen –, aber in Wahrheit bin ich all die Jahre unfrei ge
wesen, war nie ein *ganzer Mensch*, der offen, in eigene
Verantwortung, von sich sprechen konnte. Und ic
habe mir, wie üblich, ein System und eine Tugend dar
aus gemacht, mich *zurückzustellen*, Dienstfunktione
zu erfüllen, daheim wie hier, ob in Berlin, Schulzenho
Moskau oder Budapest – wo immer wir sind ...

Es begann damit, daß ich eifriges *Mitleid* hatte, wei
Erwin so spät erst *richtig* beginnen konnte mit seinen
Werk, und ich war so jung und hatte alles noch vor mir
Zweiundzwanzig war ich, als wir uns trafen, eben fer
tig studiert, und ich konnte seinem Leben wohl abge
ben von meinem, das war nur billig, und ich warb auc
um ihn – der erste Schriftsteller, den ich *kannte*, gleic
nach dem Studium, und sein »Ochsenkutscher« wa
gerade erschienen, und ich hatte von dem Buch noch a
der Universität gehört, im Herbst 51, ehe ich ihn tra

m Februar darauf. Diese Anfangs-Einstellung ist Gewohnheit geworden, selbstverständlich sind alle Dienstleistungen *profaner* und *literarischer* Art.

Erwin beansprucht den größeren Raum, tatsächlich len räumlich größeren Raum, aber auch zeitlich und in ll unserer Freunde Denken und Reden. Man fragt ıicht mich: Wie geht's dir? Man fragt: Wie geht's trittmatter? (Vor 20 Jahren hieß mich die alte Johanna Rudolph im Weimarer Goethehaus beim Gartenfest: Hol dem Dichter einen Stuhl!«)

Jahrzehntelang habe ich meinen Stolz darein gesetzt, neine *Funktionen* zu erfüllen und doch etwas drüber u behalten von mir, für mich, aber nun kommt die Angst, daß es zu wenig ist, um wirklich ein *Ich* zu sein, laß Zeit eben doch Zeit ist und vergeht, und daß ich, venn ich meine gewohnte Rolle weiter *spiele*, mein Leen verliere und die Möglichkeit für ein wirkliches *Werk*. Ja, ich *spiele* die Rolle nur noch, und in *sekretieren* Gedichten habe ich zunehmende Bitterkeit abreaiert, Ausbruchssehnsucht, Freiheitsverlangen. Daß lles selbstverständlich ist, was ich tue, und, je selbsterständlicher ich bin, desto *unsichtbarer* und *wertreier* werde, frißt mein Selbstgefühl, ohne daß ich ıicht Dichter sein kann. – Freude, Dank, Sinn, alles reibe ich mit Anstrengung aus mir heraus, der Impuls :um Schreiben kommt nicht aus Überfluß, sondern aus Mangel…

Ich bin ein *reduzierter* Mensch, der seine Lebensumtände nicht beherrscht, spiele aber anderen eine Art Weisheit und Übereinstimmung mit mir vor und versuche einsichtsvoll heiter zu sagen: Leben ist Leben nehmt es nur hin!

Dabei habe ich mein Leben wohl ebenso wenig *gewählt* wie die meisten anderen Menschen. Wir schaffen unser *Schicksal* in einem Alter, in dem wir keine Einsicht haben in das, was daraus folgt, wenn wir jetzt links oder rechts gehn...

In den Kinderjahren der Söhne fielen Zwiespalt und Zweifel nicht so auf, ihre Lebenslust, ihre Liebe zu nir, ihre Dankbarkeit für die Erfindung von Freuden rheiterten meine Tage, machten mir Glück und verielfachten Kraft, da waren Sinn und gute Müdigkeit ind das Bewußtsein erfüllter Pflicht: denn die Pflicht ler Mütter, die Kinder zu hegen und das Dach zu hüen, unter dem sie geborgen sind, gilt wohl noch imner. Und das Bild des Vaters vor ihnen aufzurichten, ler unsichtbar blieb in langen Stunden der Arbeit, und venn sie ihn sahen, oft abgelenkt, mißgestimmt und erzweifelt war, war eine zusätzliche Pflicht oder nehr: eine Sache der Gerechtigkeit, denn Leben ist chwer für jeden, der schreibt. Aber nun zeigt sich, daß lie Söhne sich, wie alle Menschen, ihr eigenes Bild genacht haben von dem, was mit ihnen und um sie gechah, und Zuwendung, die es nicht gab, ist mit Erkläung der Gründe nicht auszugleichen. Sie lieben Erwin ls Schriftsteller, lesen seine Bücher, an deren Entsteiung sie, als sie heranwuchsen, hörend gelegentlich eilnahmen, aber als Vater ist er die strenge, entrückte Gestalt geblieben, die er durch seine Arbeit für sie imner war, sie sind ohne Zutraulichkeit und Harmlosigkeit ihm gegenüber, können nur mühsam von ihrem Leben, von ihrem Wollen und Wünschen sprechen mit ihm, die *Distanz* ist zu groß. Mit mir können sie reden wie immer, unser Gespräch ist seit den frühen Tagen nie abgerissen, ich bin die Vertraute ihrer Nöte und Kümmernisse geblieben. Erwin leidet darunter, er sagt: »Deine Söhne und du...«

Die Moskauer Physikerin L., Leiterin eines Instituts, klagt über Frauen als Mitarbeiter, über ihre *Subjektivität.* Männer sind fähig, *private* Konflikte und Kümmernisse zu verdrängen und sich auf die Arbeit zu konzentrieren, unter allen Umständen, was auch in ihrem persönlichen Leben geschieht – Liebe, Scheidung, Tod. Frauen *zittern,* ihre Nerven sind gebunden an Menschen, mit denen sie leben. Geschieht ihnen etwas, sind Beziehungen gestört durch Krankheit, Kälte, Liebesverlust, lassen Frauen sofort in ihren Leistungen nach, sind bereit, alles hinzuwerfen, ihre *objektive* Welt und ihre Aufgabe zu verlassen. Sie folgen ihren *Instinkten,* ihrem Mutter- und Sorge-Instinkt. (Die Frage ist, wie weit wird dieser Instinkt durch *Tradition* gefördert, was wird den Frauen von Männern und Familien abverlangt?) In Moskau gibt es *Stellvertreterinnen,* Großmütter und Kinderfrauen, die das Familienleben steuern und manchen Physikerinnen ermöglichen, doch bei ihrer Wissenschaft zu bleiben – wie schwer es ist, hat die Mathematikerin Grekowa geschildert, die nach einem Leben als Wissenschaftlerin Schriftstellerin wurde und solche zerrissenen, reduzierten Frauen zeigt, die sich dennoch behaupten und ihre Stärke mit Einsamkeit bezahlen (kein Mann hält es bei ihnen aus), ihr einziges, mit schlechtem Gewissen erkauftes Glück ist es, Mütter zu sein – immer mit dem Gefühl, sie haben zu wenig für ihre Kinder getan.

In den Biographien bedeutender Frauen früherer Zeiten findet sich immer ein Hofstaat, der ihnen Bildung und Leistung ermöglicht. Turgenjews lebenlange Liebe, die Sängerin Viardot, deren Spuren bis heute zu sehn sind, als Sängerin und als Pädagogin keine *feminine,* sondern *absolute* Größe, Pauline Viardot reiste mit einem Troß von Zofen, Dienern, Gouvernanten durch die Welt, so daß Mann, Kinder und Gäste komfortabel versorgt waren und sie selbst mit ihrer Kunst das Haus, dem sie vorstand, durchglänzen konnte: ständig an sich arbeitend, mit anderen arbeitend, musikalischer und geistiger Mittelpunkt jedes Ortes, an dem sie lebte... (und verdiente...)

Aber Mathilde Beckmann, Kaulbachs zur Musikerin ausgebildete Tochter, schildert, wie Max Beckmann ihr nach einem Konzert (nach zwanzig Jahren Ehe und nach zwanzig Jahren Öffentlichkeitspause) ernst und freundlich sagt: Ich brauche dich ganz, willst du Geigerin sein, dann geh...

Brecht hatte, von Jugend an, immer Frauen/Mitarbeiterinnen um sich, die für ihn lebten. Marie Luise Fleißer schilderte es in der Erzählung »Avantgarde«, die anderen haben es verschwiegen, zum selbstverständlichen Dienst gemacht. Manche haben traurige Bruchstücke eigener Werke hinterlassen, Elisabeth Hauptmann, Ruth Berlau, begabte Frauen, aber allen fehlte die Konzentration, und, durch Brecht schlau ge-

ihrdet, der Mut zu sich selbst. Nur die Fleißer, die aus
efer persönlicher und künstlerischer Kränkung Berlin
nde der Zwanziger Jahre verließ und, nach Brechts
Meinung, in der Ingolstädter Provinz versinken und
erkommen würde, hat ein unabhängiges Werk ge-
chaffen, das nun neben dem Brechts steht und nicht
veniger Nachfolge findet als das seine. Die unauffällige
von einem unauffälligen Mann abhängige) Tabak-
ändlerin, die in Deutschland jene zwölf Jahre über-
auerte, hat, völlig auf sich gestellt, ihre Identität be-
vahrt oder, unbeeinflußt von Brecht, erst gefunden.

Und die von allen geschmähte Zelda Fitzgerald, Frau
es »Großen Gatsby«-Scott, der ihr Leben in allen
Details literarisch *ausschlachtete* und die unter ihren
Konflikten ins Irrenhaus geriet und dort eines schreck-
ichen Tages verbrannte – Zelda hat wunderbar ge-
chrieben, wie ihre späte Biographin belegt, ganz
icht, mit einem mikroskopischen Blick für Psyche
nd Realität. Und Scott hat ihr verboten zu schreiben.
Einer kann nur, dein Stoff ist mein Stoff (dein Leben
ehört mir als Stoff), und wenn du versuchst, dein Ma-
uskript dem Verlag anzubieten, schreite ich ein, ver-
indre es oder laß es verbieten ...«

Und Claire Goll, die bis zu ihrem Tod in ihrem Paris
mmer von Yvan sprach und bis zuletzt mit Heraus-
abe und Durchsetzung seiner Werke beschäftigt blieb
und ihr Leben aus zweiter Hand in ihrer Autobiogra-
hie auf unangenehmste Weise prahlend zu übertrei-
en schien), Claire Goll war in Wirklichkeit eine Er-
ählerin voll Güte, sozialem Gewissen, von kristalle-

nem Kunstsinn. Von ihren Erzählungen aber sprach si
nie, nur von Yvans Gedichten, die ich alle für ihre Er
zählungen hingebe ...

Woher kommt dieser Komplex der Frauen, diese
tiefe Mißtrauen gegen sich selbst, das ewige Zweifel
und Abhängigsein? Ist unser passives Liebesbedürfni
so groß, daß wir immer fürchten, Gunst zu verlieren
wenn wir unsere Zeit, unsere Meinung, unseren Glau
ben behaupten und aussprechen, was uns bedrückt, be
raubt und gefährdet? Ist unser Verlangen nach Lob s
groß, nach dem alltäglichen Lob, das unsere *Unent
behrlichkeit* bestätigt? Natürlich ist Lob auf dies
Weise leichter zu bekommen als für *objektive* Lei
stung, die eine lange Konzentration erfordert und die
bis sie bestanden ist, unsicher bleibt – ist sie zu schaf
fen, sind die Voraussetzungen da und die Kräfte? Abe
die schöpferischen Kräfte können schlechter erprob
werden, wenn die Gesamtkraft (die Zeitsumme) i
kleinen Posten ausgegeben wird, im Tagesaufwand
dessen Regelsystem das Unterbewußtsein beherrsch
(erwache ich nachts um drei, überlege ich nicht, was ich
schreibe, sondern: was koche ich morgen?).

Weil Schreiben ein *totaler* Beruf ist, wie jede ander
Kunst, soll da nicht wenigstens einer ihn so ausüben
können, daß ein wirkliches Werk entsteht, und de
andre (nun sprech ich von uns, also ich) begnügt sich
damit, ihn dienend und kommentierend zu begleiten
Hat Erwin nicht ein ursprüngliches (seinem Talent ent
springendes) und ein erworbenes (durch konsequent
Lebens- und Kunstleistung bewiesenes) Recht au

:ützung und Unterstützung, auch auf die meine, vor
lem auf sie? Hatte ich sie ihm nicht einst, vor zwei-
nddreißig Jahren versprochen? (»Ich will lieber nicht
:hreiben, ich will lieber, daß du schreibst!?«) Und ge-
en dieses Versprechen, vor Jahrzehnten nun schon,
ıein Ausbruch in eigene Worte, der Aufbruch in eine
gene Welt, die sich verselbständigt hat in Büchern
nd mich verändert nicht nur durch ihre Existenz an
ch, sondern durch Rückwirkung, durch Forderun-
en, die aus ihr entstehen – Briefe von Lesern, An-
pruch der Öffentlichkeit, die sagt: die Schriftstellerin
va S... Mein eigener Weg ist kein Parallelweg zu dem
on Erwin, er ist ein Abweg, ich habe Unruhe in unser
eben gebracht, Drang nach außen (separate Bezie-
ungen zu anderen Menschen), Drang nach innen
Dauerfrage: was gilt es als Kunst, wie wird es ein
Verk, reicht Zeit, die flüchtige Konzentration?).

Kann Liebe konstant sein, wenn der Mensch sich so
vandelt? Was habe ich noch mit der Zweiundzwanzig-
ährigen gemein, die das Versprechen einst gab? Und
ıit welch unbedingtem Glauben an das Leben und an
ie Fähigkeit, es zu gestalten, *mein* Lebensgesetz zu
ntwerfen – dabei hatte das Leben sein Gesetz doch in
ich: *Ablauf der Jahre als Ablauf von Tagen mit ihrer
Notdurft – essen, trinken, kleiden, wohnen. Und die
Macht des Geschlechts. Geburten. Die Rose des Lebens
ergeht und besteht. Wildwuchs, den Willkür des Wet-
ers regiert... Der Abend im Mai mit dem Duft unsrer
Haut, Wind kühl wie Freiheit umweht das Gesicht, wir
Ohnehaus, zu allem entschlossen... Das Haus dann,*

die Kinder, das Leben ein Werkstück, ein Webstüc aus Zufallsfarben geknüpft. Oder doch nicht? Tr man zurück und gewinnt man den Abstand, sieht ma die rote Grundfarbe Liebe? Und das Haus als Symb für mögliche Treue?

Wieviele Menschen aus wievielen Orten sind zu ih gereist, haben in ihm gesessen, gefragt und gespr chen? Wieviele haben geschrieben nach Schulzenh als dem Ort ihrer Hoffnung, das Leben gesetzlich m chen zu können, es ihrem Willen zu unterwerfen, kei Zufallsform zu erdulden und die Liebe am Leben z halten im Alltag der Pflicht... Haben wir mit *Sugg stionen* gearbeitet wie *Illusionisten*? In Worten ei zweite Wirklichkeit erzeugt, die mit der ersten nic übereinstimmt? Oder stimmten sie lange überein, un erst jetzt, mit dem Alter, verändert sich die Wirklich keit unseres Lebens so, daß kein Bekenntnis me möglich ist, daß sie der Liebe nicht mehr entspricht.

Unser letztes Jahr, seit dem Piešťanyer Mai 83, ist verbittert von dem Versuch, Schulzenhof als *Lebensform* zu erhalten, nachdem *Tante Else* und *Onkel Herbert,* unsere Nachbarn, die uns zwanzig Jahre lang halfen, *in Rente* gegangen sind. Wir haben Matti aus seinem Beruf als Förster gerissen und ihn nach Hause gerufen, damit er den Alltag dort meistert, die Pferde betreut und alle sonst *anfallenden* Arbeiten macht, heizt und zur Post fährt, zum Einkaufen in die Stadt, nach Berlin und nach Mecklenburg, um Jakob, den Jüngsten, in Urlaub zu holen von der Armee. Er kam mit so gutem Willen, aber als schon erwachsener, selbständiger Mensch, und für den Vater ist der Fünfundzwanzigjährige noch immer der Junge geblieben, dem man gebietet... Gerade der heitere Matti hing mit Liebe am Vater, war ihm als Kind mehr in der Nähe als seine älteren Brüder, war ihm immer eifrig und dienlich, nun lebt er in Pflichten und für sich in Träumen neben uns her... das heißt, er hält sich an mich, er braucht einen Menschen, zu dem er sich aussprechen kann, und der Vater spürt es mit Mißtraun... Er ist auf Mattis oder eines anderen Hilfe angewiesen, um *seine* Lebensform zu erhalten, um die Fortsetzung vom »Laden« zu beenden, an der er seit zwei Jahren schreibt, und Pläne gibt es auf *lange Sicht*...

Allein können wir in Schulzenhof nicht bestehen, z
aufwendig ist die *Technik des Alltags* – die Gebäud
verfallen und müssen erneuert werden, man muß sic
mit Handwerkern einlassen und all der wideren Ding
mehr ... Die Spannungen zwischen *systematischem* Va
ter und dem gegen *Zwang* opponierenden Sohn habe
mich so *zerrissen*, daß ich das ganze Jahr kaum schrei
ben konnte, keine Lust mehr zu Briefen an Freunde, z
heiteren Lebensberichten, geschweige denn zu Ge
dichten ... und doch ist einiges entstanden, das den *Ab*
grund überspringt ... Nervöse Dauerkrankheiten, Ab
sagen von Reisen, die mir so wichtig schienen, als ic
sie plante: Vierzehn Tage Frankreich, vierzehn Tag
von Kiel bis München, dreizehn Städte in Deutschlan
West, – alles verfiel der Krise, die sich einnistete, grau
eine Spinne, die saugt oder frißt ... Und dann ließe
wir, zusätzlich, einen Menschen an uns heran, der wi
die Personifizierung der Krise war, der sich einnistet
in unser Leben, in einen jeden von uns, sich an jede
saugte und schmiegte und uns mit seiner *Dämonie* all
auseinanderzutreiben droht.

Nie habe ich geglaubt, daß das Dämonische, das He
xische in Wirklichkeit existiert, daß das Böse, lieblic
getarnt, unseren guten Willen mißbraucht und uns aus
höhlt, bis Glaube und Vertrauen verloren sind un
einer vom andern nicht mehr weiß, wer er ist und o
das Leben weitergehn kann wie bisher ...

Leben, wie es ist, und daß Dichtung aus keiner ande
ren Substanz gemacht wird als der, die sich selber ver
zehrt – ich weiß es seit langem und kenne den Preis: Er

fahrung, die man nicht selber erleidet, kann man auch nicht in Worte verwandeln, also ist auch für diese zu danken, im *Abgrund* zu sein, *ist* eine Erfahrung, und dieser Mai wird erlebt mit dem Gefühl, es ist der letzte in Piešťany. Mein zehnter Piešťany-Mai, wie heiter begann ich den ersten, – aber auch das ist nicht wahr, ich fühlte mich zwar noch jung und lächerlich gesund, als ich dem Herrn Primarius das erste Mal gegenüber saß (eigentlich ungerechtfertigt hier), aber damals hatte ich Angst um die Kinder, die unter der Obhut einer Freundin daheim geblieben waren, und ich sah die ganze Zeit den weinenden Jakob, wie er am Abhang vorm Haus stand und uns nachwinkte, er war zehn, und Matti, der fünfzehn war, legte tröstend und tapfer den Arm um den Bruder...

Nun sind sie Männer und hüten ohne Hilfe das Haus... Jakob kam zehn Tage vor unserer Abreise von der Armee, er ordnet meine in seiner Abwesenheit verwilderte Bibliothek, in der hunderte neuer Bücher keinen Platz mehr fanden, sie stapelten sich auf Sofas und Truhen. Er reitet die Norweger-Stute Inka, die er sich vor Jahren selber *dressiert* hat, er geht *kratzen* auf seinen archäologischen Fundstellen, denen er schon als Zehnjähriger bedeutende Stücke aus der mittleren Steinzeit abgewann... Was wir andern für Spielerei und Phantasterei hielten, hatte längst *System,* ehe wir es begriffen – als Sechzehnjähriger übergab er dem Potsdamer Museum für Ur- und Frühgeschichte seine *Schätze.* Er hatte mehrmals dort angerufen, und ich hatte Angst, daß man ihn auslacht, wenn man die Sachen sieht und ihm sagt: Es ist nichts. Aber er war sich so sicher, und dann kamen die Fachleute und sagten: Es ist was, und das hat man in dieser Gegend noch niemals gefunden … Er genießt seinen Sommer, als wär es *den* Sommer des Lebens … Am Telefon sagt er: »Hier ist es so schön! Weißt du, wie schön es hier *bei uns* ist?« Er will mich *beschwören*, er kennt die *Dämonen* …

In den ersten Tagen dieses Piešťany-Mais habe ich die Briefe der Frau Rat Goethe wiedergelesen und sie wieder beneidet um ihre Furchtlosigkeit und um ihre Fähigkeit zum Lebensgenuß... Aber dazu muß man wohl Weintrinker sein – wie viel und wie selbstverständlich wurde zu jener Zeit Wein getrunken, für unsere Begriffe waren sie alle, auch Goethe, *Alkoholiker* – und die Rätin schnupfte auch Tabak, und als sie es eine Zeitlang aufgegeben hatte, konnte sie keine Briefe schreiben – sie wurden ihr *trocken,* der Gedanke *floß* nicht, und das Schreiben war ihr zuwider.

Im Nachhinein möchte man sagen: wie harmlos ihr Leben war, wie *gesichert* – dabei zwanzig Jahre Krieg und Gefahren, Bombardements, Einquartierungen, Kontributionen, und auch im *Persönlichen*: Nach dem Tode des lange verdämmernden so viel älteren Mannes, Mitte ihrer fünfziger Jahre, eine heftige, demütigende Liebe zu einem Schauspieler, der es nicht wert war, und erst im *wirklichen* Alter die Beruhigung in der Rolle als Mutter des großen Sohnes, aus dessen Existenz ihr nicht nur Ehren und Achtung wurden – selbst *Königliche Hoheiten* verkehrten bei ihr und luden sie zu Tisch –, sondern der mit seiner *illegitimen* Christiane und deren Sohn *Augst* ihr eine antibürgerliche Haltung abforderte, die sie sofort zu leisten bereit war, sie

nannte Christiane »liebe Tochter« und empfing sie bei
sich, als wäre es selbstverständlich. Dabei war sie doch
sehr auf *Reputation* bedacht, aber an den Sohn glaubte
sie *blind,* ohne jede Bedingung. Ihr »heiteres Gemüt«
aber war nur ungefährdet, weil es durch keinen *schöpferischen* Impuls gestört war – in ihrem Sohn, der doch
behauptete, es von der Mutter ererbt zu haben, war es
verdüstert durch Krisen, manisch durchkreuzt von
Tiefen des Zweifels, der Sinnlosigkeit, die er immer
wieder durch *rastlose Tätigkeit* zudeckeln mußte...
Wie gut wir es kennen, wie gut ich es kenne...

Ich habe noch keinen behaglichen Tag gehabt, seit wir dieses Jahr hier sind, trotz der Vergänglichkeitsmahnungen, die alles, wie immer hier, *relativieren.* Die Alterungsprozesse an allen, die jedes Jahr kommen zur selben Zeit: Eine fast Achtzigjährige kommt im kanariengelben Kostüm, sonst eher schlicht, eine der schlichtesten Frauen im Haus, ist sie dieses Jahr ausgestattet mit aufwendiger Garderobe: Ein Aufflackern verlöschenden Lebens... Der Oberkellner, der uns manches erzählt hat über den Ort und das Haus in den ersten Jahren, fehlt nun. Er wurde von Jahr zu Jahr tauber, überspielte es aber in mehreren Sprachen durch allerlei Standarderzählungen und -phrasen, nur: er antwortete immer auf etwas anderes, als man ihn fragte. Jetzt hören wir, er ist schon achtzig und mußte *endlich* gehn... Die korpulente Therese, auch sie seit *unserer Zeit* immer im Haus (geschieden, mit drei nun schon erwachsenen Kindern) *alterniert* mit einem ebenfalls im »Thermia« herangewachsenen Oberkellner. Therese hat sich zum Zeichen ihrer Würde einen Samtanzug aus Rock und Weste schneidern lassen, der vom schwarzen Kellnerinnenkleid mit Spitzenschürze absticht. Ihren Platz als Kellnerin hat ihre Tochter Magda übernommen, die wir als »jungen Fratz« kennenlernten (so der verstorbene Nachtportier Albert), auch Magda ist längst verheiratet und Mutter einer Tochter (die *Dynastie* reproduziert sich), nach einem Zwischenspiel als Telefonistin der »Thermia«-Zentrale ist sie wieder im Speisesaal in *unserem Revier* gelandet. Sie ähnelt der Mutter in Größe, Gestalt, Physiognomie, ist aber noch schlank und flink, flink! Flink war und ist, trotz Korpulenz, auch Therese, die nun in ihre neue, gemessene Rolle *hineinwachsen* muß, anerkannt von den Gästen, aber wohl nicht ganz unangefochten von den Kollegen, mit denen sie bisher von gleich zu gleich arbeitete und denen sie nun vorgesetzt ist ...

Dieses Jahr fehlt an der Rezeption die junge Frau Čistova, die ihr zweites Kind bekommen hat und im *Mutterjahr* ist, sie ist die Tochter der Frau E. vom Service-Büro, die mein *Jahrgang* ist und die uns in hastigen Gesprächen, Jahr um Jahr, von ihrem Leben, einem schweren Leben mit langer Krankheit und schlimmen Verwicklungen, erzählt hat ... Noch immer ist sie eine anziehende Frau, mit einer starken Ausstrahlung sittlicher Reinheit, so wie auch die Tochter – seit Jahren ist ihre zweite Ehe geschieden, der erste Mann verließ sie wegen ihrer schweren Tuberkulose und langen Sanatoriumszeit, ließ sie mit zwei Kleinkindern allein, die ihre Eltern betreuten, solange sie im Sanatorium war, der zweite Mann konnte diese Eltern nie akzeptieren, von denen sich Frau E., aus Dankbarkeit, nicht trennen wollte ...

Der alte Vater ist seit dem letzten Mai verstorben, Frau E. lebt mit der Mutter, die seit langem *mit dem*

Herzen krank ist, und dem Sohn aus zweiter Ehe, der eben das Abitur gemacht hat, zusammen ... Auch der älteste Sohn arbeitet im »Thermia«, ist Kellner.

Alle sind ausgebildet auf der Kellnerschule in Piešťany, haben dort Sprachen gelernt, jeden Mai sehen wir die Fotos neuer Absolventen in Geschäften ausgestellt, im Blumenladen am Park etwa – hier gibt es die Sitte, daß Lehrer und Schüler jedes Absolventen-Jahrgangs mit Fotos und Namen, auf großen, gerahmten Tafeln, der *Öffentlichkeit* vorgestellt werden. Jede Schule, jede Klasse in einheitlicher, besonderer Kleidung... Wie oft haben wir, im Lauf der Jahre, vor diesen Bildtafeln gestanden, die uns liebsten Gesichter einander gezeigt und uns die Schicksale dieser jungen Menschen auszudenken versucht... Die Kellnerschüler kommen auch regelmäßig zum *Üben* ins »Thermia«. Voriges Jahr fragte ein hübscher Bursche Erwin: »Was trinkt deine Frau?« Die Kellnerschule vermittelt aber gute Sprachkenntnisse, sie wird als Abiturstufe zum Hochschulstudium anerkannt, eines Tages meldete sich ein junges Mädchen aus Modra, das in Bratislava studierte und seine Diplomarbeit über meine Gedichte schrieb. Sie besuchte mich, mit Professorin und eben angetrautem *stummen* jungen Ehemann hier im Hotel, nun ist sie längst Lehrerin, hat ein zweites Examen abgelegt über deutsche Literatur und eine noch längere Arbeit geschrieben über meine Gedichte... Auch Lydia kommt von der Kellnerschule in Piešťany. Sie ist nicht die einzige am Bratislavaer Lehrstuhl für Germanistik, die über meine Arbeiten geschrieben hat. Voriges Jahr lernten wir bei einer Lesung in B. (am heißesten Maitag des Jahrhunderts) den Lehrstuhlleiter kennen: alte Schule, *Bonhomme, aus dem Stand heraus* zu müheloser Konversation fähig, *die* Autorität fürs Deutsche in Bratislava... Ich habe Lydias Arbeiten nicht gelesen wie auch die aller anderen nicht, die mir die ihren schickten, ich kann es seit Jahren nicht mehr, es macht mir Pein, von mir als einer *bestimmten Größe* zu lesen (was an Gedichten demonstriert wird), da ich mich selber so *unbestimmt* sehe: Als Spannung zwischen den Polen, als nie erreichte Übereinstimmung von Sollen und Haben...

Jemand, der Gedichte schreibt, kann dem Leben in seiner *Totalität* – in seiner Wirrnis, seinem Geheimnis – nicht gerecht werden. Vielleicht ist es das, was mich beunruhigt und diese Aufzeichnungen machen läßt? Wieviel Lebensdramen enthält allein dieses Haus? Die rührende Schwester W., die wir seit langem *von weitem* kannten, schien uns vor zwei Jahren schon *eingetrübt*, ihr liebes Lächeln war mühsam geworden, voriges Jahr erzählte sie uns von ihrem Ehedrama... Der Mann hat sich in eine Ärztin verliebt, nicht hier aus dem Haus, aber doch aus der Stadt, der Herr Primarius hat mit deren Vater, auch einem Kollegen, gesprochen, aber das *Verhältnis* hält an – und Schwester W. mit ihren zwei Kleinkindern leidet und leidet und lächelt – zu den Launen und Forderungen der Patienten, springt treppauf, treppab bei der Einweisung der Neuen, die jeden zweiten Wochenanfang unfehlbar *heranwogen* – dieses Jahr sagt sie: »Das heilt nicht, aber man muß leben, wegen der Kinder...« Und jemand erzählt uns die Geschichte der Schwester L., die mit achtunddreißig geheiratet, mit einundvierzig ein Kind bekommen hat und dieses Jahr fehlt an ihrem gewohnten Platz. Den Mann hat sie der besten Freundin *weggenommen* (sagt man), die zwar nicht mit ihm verheiratet, aber schon fünf Jahre mit ihm *liiert* war, und Schwester L. fuhr als *beste Freundin* immer mit in den Urlaub... Nun geht die Verlassene, die auch im »Thermia« arbeitet, mit diesem schmerzlichen Zug der Trauer umher, sie müssen von einem Jahrgang gewesen sein, die Freundinnen, vielleicht von den ersten Schultagen an beieinander, und nun für immer getrennt. Die eine im, späten, Glück, die andere – die Schönere, Feinere – wie *bereift* vom Leben, erste weiße Strähnen durchziehen ihr Haar... Aber auch sie, wie alle im Haus, im *Geschirr*, der *Disziplin* unterworfen, die verlangt werden muß, damit der wirbelnde Betrieb nicht ins Stocken gerät, damit die Gäste zufrieden sind und verlockt werden, wiederzukommen...

Zwei große Feste gabs letzte Woche: Der Direktor, der Herr *Indjenäär* S. wurde sechzig. In die erste Feier, die er den Mitarbeitern gab, wurde Erwin, der zufällig an der Tür des *Nebensaales* vorbeikam, *hineingerissen.* Unsere Zimmerfrau, die wir auch von Anfang an kennen und deren Tochter ebenfalls im »Thermia« arbeitet, holte ihn zum Tanz... Auch mit Frau E. tanzte er und sprach mit ihr über ihre Lebensaussichten: Wieder heiraten – ja oder nein? Nein, sagt Frau E., nicht mehr, sie hat ihre Familie... Aber sicher hat sie nur Angst und hätte doch Hunger nach Glück, nach Bestätigung durch den *einen* Menschen, so wie wir alle... Auch der Herr Direktor hat Erwin, in Kurzfassung, von seinem, beruflichen, Leben erzählt: daß er im Gesundheitsministerium war, vor sechzehn Jahren nach Piešťany kam, um gleichzeitig die Kellnerschule und das »Thermia« zu leiten, dann aber sich fürs »Thermia« entschied, weil beides zuviel wurde, und er will noch zehn Jahre bleiben, wenn er auch schon das hier für Männer gültige Rentenalter erreicht hat.. Kein leichter Beruf das, immer ist etwas zu renovieren zu rekonstruieren, dieses Jahr die Eingangstür, Messing, *in Jugendstil,* davor ein Stück roter Teppich unterm steinernen Baldachin, aus dessen Wölbung man vor Jahren die Schwalben endgültig vertrieben hat. Sie hatten dort Nest bei Nest gebaut, man zerstörte die Nester und hängte rote Ballons zur Abschreckung auf (der Schwalbenkot verdirbt den Gästen die Kleidung), wir kamen am Abend, da die Zerstörung geschehn war, über die Brücke aus der Stadt und hörten das ungeheure Wehegeschrei der Schwalben und sahen sie stürzen in wahnsinnigem Flug, immer wieder schossen sie herab unter den *Portikus*, um ihre Heimstätten wieder zu errichten, die Ballons hielten sie nicht ab, sie begannen von neuem ihre Fundamente zu schichten in den Winkeln unterm Dach – immer neue Zerstörung, dann gaben sie auf, zogen fort, um woanders, unter der Brücke oder an anderen friedlichen Stätten, zu bauen und nicht um die Nachzucht zu kommen in jenem Jahr ... Wir hatten die Schwalben geliebt. Wie auch die Tauben, die in den Laubbäumen hinterm Hotel beheimatet sind, die Türkentauben besonders mit ihrem südlichen Ruf, den sie seit Jahren, vom Balkan herauf, weiter und weiter nach Norden tragen ... Aber wie viele Gäste klagen: Schrecklich, die Tauben! Man kann nicht schlafen wegen der Tauben ... Eine weißhaarige Frau, die mir sympathisch war vom Sehen, klagte so *larmoyant* über die Tauben, daß meine Sympathie für sie sofort erlosch – dabei hatte ich gedacht, als ich sie sah – sie wirkte *versammelt*, als wär ein Gedanke in ihr –, so könntest, so möchtest du aussehn, wenn du so alt bist wie sie. In den Gesprächen seither hat sie nie einen Gedanken geäußert, der von der *Norm* auch nur einen Millimeter entfernt war ...

Auch für Schwalben und Tauben ist also der Herr

Direktor verantwortlich, der – als Schutz – selber die Haltung eines Täubers angenommen hat: Wenn er durchs Haus, durch den Speisesaal geht, grüßt er *prophylaktisch* nach allen Seiten: Kopfneigung rechts, Kopfneigung links, ganz wie ein trippelnder Täuber ... Den Eingang hat man also bis über die Schwelle hinaus mit einem roten Teppich belegt – das »Thermia« ist berühmt, wird berühmter. Seit *Jugendstil* international *Mode* geworden ist, hat das Haus einen zusätzlichen Wert, Regierungsgäste logieren hier – drei Mal allein die Frau des österreichischen Staatspräsidenten – und auch wir mußten, ebenso wie ein dänisches Schriftstellerpaar, schon einmal unsere Zimmer räumen, als ein *emiratischer Ölminister* samt Gefolge heranflog.

Voriges Jahr saß am Nebentisch die zierliche Tabiah aus Kuweit. Sie war sehr ohne *Gesellschaft*, ein libanesischer Diplomat an ihrem Tisch verkehrte *zeremoniell* mit ihr, sie war ausgehungert nach Gespräch. Ich unterhielt mich oft mit ihr, die noch wie ein Schulmädchen aussah, aber schon dreißig und Sportlehrerin war. Wegen eines Sportunfalls, bei dem sie sich die Wirbelsäule verletzt hatte, war sie schon zum zweiten Mal innerhalb eines Jahres in Piešťany. Sie gehörte zur neuen Generation, war europäisch-sportlich gekleidet, hatte in Amerika studiert, aber die Mutter, mit der sie reiste, verließ nie das Zimmer, von unserem Balkon konnte ich ihre Terrasse sehen, stundenlang lagen Mutter und Tochter nebeneinander in Liegestühlen und nagten Kerne aus hohler Hand. Die Handinnenflächen der halbverschleierten Mutter waren mit Henna rostrot gefärbt. Ein Bruder logierte im »Magnolia« in der Stadt, die Frauen durften allein nicht reisen. Von hier gingen sie nach England, nach Brighton, wo sie eine Sommerwohnung besitzen. Tabiah gab mir ihre Fotoalben zum Ansehen, die sie zuvor der Heilgymnastin, mit der sie turnte, geliehen hatte. »My house, my family, my sisters, my brothers, my brother-in-law, my niece...«

Ungeheurer Luxus (alle Zimmer aus allen vier Blickwinkeln aufgenommen), riesige Autos unter offenen Garagen, die Frauen wie Statuen, die Kinder wie Puppen, Brüder und Schwäger sind Ingenieure, die Schwestern Lehrerinnen – aber all der Luxus, all die orientalische Pracht (vollklimatisiert) verwandeltes Öl. Tabiah hatte ein so kindliches Lächeln, wir hatten so Freude an ihr, aber dann erfahre ich von jemand, der es zufällig mit angehört hat, daß sie einen großen *Skandal* mit unserer lieben Frau E. hatte und daß die kleine Tabiah unsere elegante, souveräne, aber so zurückhaltende Frau E. »wie einen Dienstboten« behandelt und daß es schreckliche Auseinandersetzungen wegen der Bezahlung des Appartements mit ihr gegeben hätte...

Manchen *flüchtigen* Gästen sieht man gleich an, was mit ihnen los ist: ein *Paar* voriges Jahr kam aus Afrika, »Rhodesien«, wie sie sagten, das jetzt Simbabwe heißt. Deutsche, er Flugkapitän, sie Geschäftsfrau – ich möchte schwören: Ein *Ehemaliger,* der sich nach Afrika retiriert hat. Alle, Kellner und ständige Gäste, hatten sofort eine Aversion gegen dieses *hochfahrende* Paar, und ich bin sicher, sie kommen nicht wieder. Denn natürlich bilden sich nicht nur die Gäste eine Meinung über das Hotel und seine Mitarbeiter, über Ärzte, Schwestern, Badefrauen, Masseusen, auch die Mitarbeiter haben eine Meinung über die Gäste, und es stellt sich im Lauf der Jahre doch eine Dauerbeziehung zu den Gästen her, trotz des rasenden Ringelspiels: Früh saß noch das Ehepaar S. aus der DDR am Tisch neben uns, am Mittag sind es schon Österreicher aus Graz. »Auwiedesehn bis nächste Jahr!« klingt hinüber ins: »Scheen Willkomm, wie gehts?«

Die Buntheit der Piešťany-Welt wurde dieses Jahr noch bunter: Wir hatten *chinesisches* Konzert. Auf den Tischen lagen maschinenbeschriebene Papierstreifen, die speziell für dieses Konzert im neuen *Kongreß-Zentrum* bei den »Balnea«-Hotels warben. Wir dachten: *Folklore* und gingen hin, ein ganzer Schwarm »Thermia«-Gäste fuhr mit dem Bus oder *wallte* hinüber: Die Pappelallee, die Mittelachse des Insel-Parkes, entlang. Es war nicht *Folklore,* es war ein vollkommen *europäisches* Konzert, mit kleinen Einsprengseln zu *Kunst* bearbeiteter chinesischer Volkslieder. Junge Leute aus Schanghai und Peking, hervorragende Virtuosen allesamt, sangen Rossini und spielten Chopin, als wär niemals Kulturrevolution gewesen in China und all diese Musik dekadent und des Teufels. Eine ganz junge Mezzosopranistin in flammendem Rot, mit winzigen Goldflittern flimmernd, chinesische Tulpe, asiatischer Stern, *vom Himmel hoch* singend, den Atem wegtäuschend (eisern trainiert) mit zierlichem Hals und kindlicher Brust, sie war die Schönste und rührte uns sehr, aber auch Geiger und Pianisten rührten uns an und die nur um ein weniges ältere Hochsopranistin im mondgelben Gewand, die sang mit der Kälte von Vollmondnächten im Herbst... Es war etwas wie eine Verheißung in diesem Abend: daß immer ein Keim von Leben erhalten bleibt unter der tödlichen Drohung, so auch das Samkorn der Kunst, wie aus der bitteren Wüste, die Jahre ohne Regen verblieb, wenn der Regen dann kommt, Pflanzen und Tiere erwachen zu üppigem Leben – so wars auch in China geschehn – nach der grauenvoll monotonen dressierten Pseudo-Periode der Kunst, von der uns übers Fernsehn und über ins Deutsche übersetzten Bulletins der Chinesen Zeichen erreichten, die uns erschreckten, zeigte sich plötzlich – vor einigen Jahren nun schon –, daß alles noch da war, die Traditionen nicht tot. Neue Generationen wuchsen heran, die der alten chinesischen Kunst würdig waren, der Weisheit ihrer Philosophie, der Heiterkeit ihrer Poesie, und an diesem Abend genossen wir, wie die Jugend die Welt-Kultur assimilierte. Das versprechende Bild: es müßte heut möglich sein, daß die Welt-Kunst von ihren fernsten Polen her einander durchdringt. Wie merkwürdig und schön hatte uns schon indische Musik und arabische Poesie geklungen, auch unser Empfinden ist erreichbar von der asiatischen Kunst, so wie das der jungen Chinesen von der europäischen... Wären nicht Kriege und Konflikte in der Welt, so könnte das Eindringen und Einverleiben heut schnell geschehn. Welch eine Sensation war zu Anfang des neunzehnten Jahrhunderts die Übertragung persischer Poesien in die europäischen Sprachen – wie hat Hafis auf Goethe und andere gewirkt! Und Ende des neunzehnten Jahrhunderts, und immer noch wachsend, der Einfluß Laotses auf das Denken der Denkenden!

Wir wandelten *heimzu,* in größerer Gruppe, ich dachte glücklich diesen Gedanken für mich, während ich mit Hotelnachbarn aus der Schweiz und aus Westdeutschland schlenderte – es war einer der wenigen laulichten Abende dieses Mais –, als es plötzlich einen Aufenthalt gab. Die Männer hatten einen Menschen entdeckt, der auf dem zwei Meter hohen Eisentor des »Ewa«-Bades festsaß, im Stacheldraht, der das Tor und den Zaun überzieht. Ein Bein diesseits, ein Bein jenseits des Tors, *ritt* er obenauf, von den Stacheln gehalten – im Stoff der Hose oder im Fleisch des Beins. Ein Betrunkener, der vielleicht in den Kiosk auf dem Badegelände einbrechen wollte, aber ganz gleich: Die Männer beschlossen eine *Rettungsaktion,* erkletterten das Tor, über der ein Meter hohen eisernen Grundfläche des Tores begannen Streben, zwischen denen man stehen konnte – Erwin, Herr W., unser liebenswerter *Geschäftsfreund* aus Deutschland West, Herr B. aus Zürich, auch einer unserer geschätzten Bekannten, ein Altersgefährte Erwins, dazu gesellte sich eine couragierte Dame von *Gardemaß,* das zog sich eine halbe Stunde lang hin, wir anderen Frauen schrien unsere Furcht hinauf, daß der Betrunkene, wenn man ihn durch *Anhieven* befreien würde, kopfunter auf die Gartenseite stürzen und sich das Genick brechen könnte (bei der Höhe!). Sie bekamen ihn erst los, als die couragierte Dame mit Erwins Taschenmesser die Hose des *Einbrechers* zerschnitt... Dann *leierten* sie ihn vorsichtig auf die Straße zurück – ein jüngerer Mann, der seine wahrscheinliche Absicht nicht verwirklichen konnte, durch

len Stacheldraht und durch die *Menschenfreunde*, hin-
er denen er nun hertrottete, gehindert. Einer der Mit-
;ehenden, der nur assistiert hatte mit Ratschlägen, weil
hm nach einer Wirbelsäulenverletzung die Hände
ıicht gehorchten, war im Lande geboren, er sprach,
vas die Meisterin Krista »po naschemu« nennt, eine
Mischsprache aus Polnisch und Tschechisch, und er
verstand die Reden des lallenden Kerls: er arbeitet
ıicht, nur Kommunisten arbeiten hier, aber er hat
einen Freund in New York... Der Betrunkene torkelte
iber die Brücke zur Stadt, aber die *Rettungsgemein-
chaft* war festlich erregt... und so sollte zusammenge-
blieben werden auf einen Trunk. Die *hall* hatte gerade
geschlossen, es war zehn Uhr, man verwies uns zur
Bar, in der ich noch niemals gewesen war, über der wir
ıber, zu unserer Unfreude, mehrmals gewohnt hatten,
m *Zwischenstock*, wo es nur ein paar Zimmer gibt und
wohin wir in *Wartestellung* auf bessere Räume in den
Anfangsjahren geraten waren. Furchtbar, über einem
Schlagzeug und einer Tanzfläche zu wohnen, aber ein-
nal, bei einer Greifswalder Lesung, verbrachte ich eine
ıoch schrecklichere Halbnacht *unter* einer Tanzfläche,
das war so ziemlich die Hölle... Unsere »Thermia«-
Bar kannte ich nur vom *Auslüften*. Wenn ich morgens
ıalb sieben ins Bad hinüber zur *Anwendung* gehe,
komme ich an der Eingangstür vorbei, die auf den langen Verbindungsgang zwischen »Thermia«-Hotel und
»Irma«-Bad führt, die Tür ist breit geöffnet, *kompak-
ter* Dunst aus kaltem Rauch und Alkoholgas schlägt
heraus... Nun also zieht die Gemeinschaft der *Men-*

schenfreunde in die Bar ein, in der die heimlichen Paar unseres und anderer Hotels oder zahlende Gäste mi einnehmenden Mädchen tanzen und tun, als wäre e Liebe... Der energische Breitfeld aus Zürich klärt mi dem Kellner die *Lage,* wir sitzen bald an der Balustrad über der Tanzfläche, die Getränkefrage wird gestell auf Wein und Gin-Tonic beantwortet, ich halte micl an die Selter, ans Schaun auf den Tanz und auf die Mu sik, aber meine Nachbarin, die Frau des sprachkundi gen Nachgelähmten, die neu im Haus ist und der icl zweimal im Bad behilflich sein konnte, hat *läuten* ge hört, wir seien Schriftsteller *von Osten,* und sie frag mich, ob ich die Frage gestatte: »Schreiben Sie gemein sam oder jeder allein? Und wie schreibt man drübe überhaupt? Nach Vorlage? Sie müssen doch be stimmte Themen bearbeiten?« Glücklicherweise ist si tanzlustig, ein Tanz, der grad produziert wird, wirbel sie auf: »Der Entchentanz!« Groteske Verrenkunge werden gemacht, und sie hat diesen Tanz schon i Frankreich, Italien, Amerika getanzt – man tanzt ih »überall in der Welt«!... Ich in meiner Welt habe nocl nie von ihm gehört, aber der energische Breitfeld enga giert die tanzlustige Hannoveranerin, nachdem er mi seiner ironischen intelligenten Frau einen sanfte Slow-Fox gedreht hat, gerade als wieder eine *wild Tour* angeht, und die schon angealterte, aber nocl drahtige Dame wirft ihre in schwarzen Satinhose steckenden Beine (oben slowakische Stickbluse in Rot in Höhen und Himmelsrichtungen, wie kein zweite im Zwielicht der Bar, sie markiert Jugend mit krumme

Knien und hängendem Hosen-Gesäß, und – verkehrte Welt – *umbalzt* den würdigen Breitfeld mit der Tonsur im Strahlenkranz weißer Haare. Breitfeld beweist seinerseits Lässigkeit und Herrsein über die Lage, in dem er, Hand in der Hosentasche, auf der Stelle tretend, als *Dandy* posiert. Seiner Frau ists nicht recht, dem Mann der Tänzerin ist es nicht recht – aber wer weiß, was da ausbricht – sie hat wohl schlimme Jahre hinter sich mit dem kranken Mann... Und die Dummheit ihrer Frage will ich ihr nicht verdenken... Sie ist ja nicht ganz *ungebildet*, was *unsere* Schriftsteller betrifft, die Namen Stefan Heym und Christa Wolf und Biermann kennt sie aus dem Fernsehen und auch den russischen Schriftsteller Sacharow, für den wir doch etwas tun müßten – sie will mir nicht glauben, daß Sacharow Atomphysiker ist und die sowjetische Wasserstoffbombe mitgebaut hat... Ermüdend ist die *Konfrontation* mit Menschen, die ein um nichts erweitertes *Fernseh-Weltbild* haben, oder das *Weltbild* einer bestimmten Zeitung, politischen Richtung. Auch bei uns gibts ja Menschen, die keinen Zentimeter über das hinaussehen, was ihnen *vorgeführt* wird, aber sie sind nicht bösartig, sie sind zu *Friedwillen* und *Koexistenz*-Denken seit Jahrzehnten erzogen. Die meisten von der anderen Weltseite sind militant von ihrer Überlegenheit überzeugt, und mit unserer Mrs. Z., die vor ein paar Tagen doch wieder von Amerika »herübergerackelt« ist (nein, nicht gerakkelt, »mit eine sehr gute plane, Czechoslovakian line, top service, 140 Dollar billiger als PANAM, a wonderful flight, the rising sun and the colours, before the sun fully came out, warn allein schon den Preis wert der Reise«) – mit unserer Mrs. Z., die sich zu uns an den Tisch setzte, kam es zu politischem Streit wegen der Olympiade, die *uns* überhaupt nicht interessiert... »Wie kännen Sie absagen die Olympiade, was werden sagen Ihre Athleten, die haben so hart gearbeitet für diese Sache vier Jahr...«

Erwin: »Was haben die amerikanischen Athleten gesagt, als sie nicht nach Moskau durften?«

»Aber das, wissen Sie, war eine andere Sache: die Russen haben Afghanistan überfallen...«

Ich: »Und die Amerikaner Grenada...«

»Niemals! Nie nicht hat Amerika nicht ein einziges Land besetzt in die Welt! *Wir* brauchen das nicht!«

Ich: »Und was war mit Vietnam?«

Nie gehört... Sie weiß nichts von den Ungeheuerlichkeiten in Südamerika, nichts von den welt-bekannten *Inszenierungen* der CIA (die *wir* aus amerikanischen Dokumentationen, nicht aus *kommunistischen* kennen), aber sie weiß, daß hier »alles den Russen gehört«... Ein Andenkenkiosk an der Brücke ist verschwunden – das gibt ihr zu denken, sie kannte die Frau, die ihn betrieb: »...eine gute Geschäft das, eine sehr gute Geschäft, natierlich, das Geschäft gehört die Russen (Sie wissen, daß hier alles die Russen gehört, das wissen Sie nicht?), aber in die Geschäft von die Russen hat die Frau doch gemacht ihre eigne Geschäft, you know, Sie verstehn?« Die Mahlzeiten wurden unerträglich, wir hatten keine Lust, zu *politisieren*, uns belehren zu lassen von ihr, die aus Gottes eigenem

Land kommt (ich bin überzeugt, daß sie das wirklich, *wortwörtlich*, glaubt und daß sie, neben Gott, auf *niederer* Stufe auch Reagan anbetet), die Lebensgeschichten, die sie uns wieder erzählte – sie spricht unentwegt, hört kaum auf das, was der andere sagt – waren zu teuer bezahlt – ich überlegte, ob ich ihr sagen sollte, auch wir seien »eigentlich Russen« –, um sie von unserem Tisch zu vertreiben, aber Erwin, dem sie zuerst, auch in meiner Gegenwart, »Augen gemacht« und den sie in meiner Abwesenheit gefragt hatte, ob er denn immer mit Frau kommt? Erwin schaffte es anders: er schwieg konsequent während der gestrigen Abendmahlzeit, und heut hat sie sich an einen eben freigewordenen Tisch gesetzt... Am ersten Abend hatte sie mit Erwin um ihr Alter wetten wollen, daß sie älter sei als er, sie hatte mich, da er sich weigerte, mit *Sekkieren* schließlich zum Nachgeben gebracht – sie ist dreiundsiebzig inzwischen, sagt sie, letztes Jahr hat sie Alaska bereist und dann zwei »Studienwochen« in einer Art Schein-Stadt bei den *Niagara-falls* verbracht, »sehr anstrengend das« – als sie auftauchte vor drei Tagen, brachen Kellner, Oberkellner und Gäste in Panik oder freudigen Schrecken aus: Was für Skandale würde es dieses Jahr geben mit ihr? Sie hat uns auch über die Situation im »Thermia« belehrt, am zweiten Tag ihres Hierseins: daß hier jetzt alles umgestürzt und anders ist, wir haben in drei Wochen nichts davon bemerkt, und sie hat an der nach ihrer Meinung inzwischen *entmachteten* Frau E., die wir so schätzen, kein gutes Haar gelassen: »Sie hat nur gesorgt für ihre eigene Interesse, das wissen Sie nicht? Was wissen Sie dann? Wissen Sie: man muß sich interessieren für andere Menschen...« Keinem tut sie wohl, alle flüchten vor ihrer zerstörerischen Selbstsucht, doch der Herr Direktor S. kommt *persönlich* an den Tisch, um sie zu begrüßen! Alle bemerkens mit Erstaunen, wir rätseln darüber, aber wir kommen darauf: sie bucht die Kur über ein amerikanisches Reisebüro, sicher hat sie sich dort beschwert, man hat die Beschwerde nach Piešťany an die Bäderdirektion weitergegeben, und die darf die Amerika-Beziehungen, das Dollargeschäft, nicht gefährden, also: besondere Aufmerksamkeit für Mrs. Z., in der ich das *Dämonische,* das uns dieses Jahr in anderer Gestalt begegnete, nun noch stärker erkenne als in früheren Jahren – auch die Unfähigkeit, die zur *dämonischen Gestalt* gehört, Wahrheit und Lüge zu trennen: die Lebenserzählungen, die sie mir dieses Jahr mitteilt, weichen von denen vor vier Jahren entschieden ab...

Dieser Mai ist verregnet, verregnet, ein tückisches Klima belastet die Kur. Wind, Wind, der böige Waagwind, fast Föhn, stechende Sonne für kurze Zeit, Minuten später jagt Wind, und wieder geht Regen, gehn schwere Gewitter. Erwin, der seit Weihnachten krank war, an Virusgrippe und an *Dämonen* erkrankt – den ganzen Februar in der Klinik, um ein *Durchblutungsmittel* zu *infundieren*, das ihn die Welt wieder freundlicher sehn und seine Arbeitskräfte zurückkehren lassen sollte – Erwin ist durch den neuen Infekt und durch das böse Klima dieses Mais so geschwächt, daß er das Schwimmen eingestellt hat, nur kleine Schritt-vor-Schritt-Spaziergänge macht und auf sein *sprechendes Notizbuch* Gelegenheits-Notizen spricht, die mir ebenso unbekannt sind, wie ihm unbekannt ist, was ich schreibe. Ja, es ist dem einen auch unbekannt, was der andere denkt... Über die *wesentlichen* Dinge unseres Lebens können wir dieses Jahr nicht sprechen, zu verschieden ist unser Blickwinkel, und zu groß ist meine Angst, durch einen Gesprächsversuch seinen Zustand noch zu verschlechtern... Er erholt sich nicht wie sonst, er erbleicht plötzlich, ist unentwegt müde, schläft viel, die Aktivität der ersten Woche, in der er Stunden-Spaziergänge machte, während ich schrieb, ist nach der tagelangen Krankheit mit

Bronchitis, Fieber und Aspirin, nicht wiedergekehrt.
In meinem Gefühl ist es *so*: daß wir das Wetter mitge
bracht haben nach Piešťany. Die Disharmonie unsere
Lebens, unserer Beziehung, konnte gar keinen andere
Mai erzeugen! Dabei leben wir friedlich und freund
willig neben- und miteinander. Wir haben uns ein *Zeit
loch* gemacht, eine *Lebensenklave* geschaffen durch di
Entfernung aus unserem gewöhnlichen Um-Raum
wir haben die Lösung der Rätsel vertagt, die Forderun
an Gefühl und Verstand verdrängt, in eine tiefere *Be
wußtseinsschicht* eingelagert, um die vier Wochen i
einer so viel näheren Gemeinschaft, als wir sie *daheir*
haben (daheim?), zu überstehen ... Wir wollten das Be
ste daraus machen, da die Kur nun einmal bestellt wa
(wie jedes Jahr ein Jahr zuvor) – und wir wollten all un
sere alten Wege noch einmal gehen: über die Höhe
mit ihren Hohlwegen aus Weißdorn, Holundern un
Heckenrosen zur Bacchus-Villa hinauf – an jener
Punkt vorbei, an dem es einen vollkommenen Rund
horizont gibt, wie über dem Meer, wollten abwärt
wandern an der *schottischen Heide* (einem Hügel mi
einer Wildnis Wacholder) vorbei, die Wiesenpfad
hinab, wo es so viele Kleinfalter gibt, Bläulinge, Bräun
linge, und wo wir einst den *Pflughasen* sahn (einen rie
sigen Hasen, der am Waldrand festlag, so daß wir ih
für eine vergessene Pflugschar hielten) und wo wir im
mer zu rasten pflegten – eine lange Wanderung, nu
sonntagsvormittags zu leisten –, wir wollten ans *grie
chische* Ufer der Waag, auf der anderen Seite zum Stau
see hinaus, und wollten über die Felder nach Mora

any, und die ländliche Leninstraße entlang, an den steinernen Standbildern auf den Torsäulen vorbei, an Lilien, Pfingstrosen und Akeleien, bis da, wo von den Feldern der erste Korngeruch kommt... All das wird nicht werden, Erwins Kräfte reichen nicht aus. Und wenn es unser letzter Piešťany-Mai sein sollte, so wird das alles, wie es jetzt in der Erinnerung lebt, in ihr stehen bleiben, angehaltene Zeit...

Vor ein paar Tagen, spätabends, sah, hörte ich mi
im österreichischen Fernsehen ein Gespräch übe
das *Problem Zeit* mit einem Atomphysiker an, de
einen seltsamen Namen hatte: Bernulf Kanitscheide
(wenn ichs nicht schon verdreht habe). Der Raum
Zeit-Begriff der modernen Physik wurde verhande
und die Unsicherheit, ob es Zeit als Bewegungsrich
tung überhaupt gibt, ich sah die ganze *Zeit* den noc
ziemlich jungen Physiker an, der mich an einen Freun
sympathisch erinnerte, und dachte: Du brauchst nur i
den Spiegel zu sehn: dir gehn die Haare schon aus, di
Zeit hat für den Menschen eine Richtung: von der Ge
burt zum Tod... Mag sie für die Physik und Mathe
matik ein *Problem* sein, mögt ihr beim *Vermessen* de
Weltraums die Zeit so relativieren, daß sie sich aufzu
heben scheint, für dich und mich ist sie da, ist begrenz
hat Anfang und Ende. Der langen Erörterung vorläufi
ger Schluß war denn auch, daß es für die Theorie zu
Zeit wieder so aussieht, als *bewege* sich doch etwas, a
gäbe es einen *Pfeil,* der in eine Richtung weist, Vergan
genheit und Zukunft wären quasi als sicher definier
nur der Gegenwart wäre theoretisch noch nicht beizu
kommen, was *sie* ist, weiß die Wissenschaft noch nich
aber sie wird sich ihrer noch bemächtigen...

Wie seltsam das ist, da seit Jahrtausenden überliefer

vird, was der *Augenblick* gilt, der Tag und die Stunde! ʼhilosophen und Dichter der verschiedenen Kulturen :benso wie die Volksweisheit, die sich in Sprichwörern festhält, die Weisesten und die Einfältigen haben ;ewußt, seit es ein reflektierendes Bewußtsein gibt, laß das Leben immer nur Gegenwart ist, der Moment ler Handlung, der Augenblick des Genusses. Nur lie Kunst kann Vergangenes wieder beschwören mit ler Suggestion, es sei Gegenwart, aber unseren intenivsten persönlichen Erinnerungen haftet immer die Trauer des Nicht-mehr-Besitzens an: das Bild des Geiebten ist nicht der Geliebte, die Sinne werden durch Einbildung erregt, aber nicht mehr befriedigt...

Über meinem Frisier-Schreibtisch hängt die Re produktion eines Bildes von Wladimir Gawri low, »Ein frischer Tag« heißt es, ich weiß es, weil ic das Bild abgehängt und auf der Rückseite nachgeschau habe – eine üble Gewohnheit von mir, in allen Hotel die Bilder abzuhängen, wenn ich die Maler nicht kenn und nicht weiß, wie die Bilder heißen... Ich turne au Betten und Tischen umher, oft sind die Haken schlech in die Wand gebracht, fallen heraus, ich habe Mühe, si wieder zum Halten zu überreden und die Bilder wiede aufzuhängen, aber ich kann es nicht lassen...

Auf dieses Bild habe ich in drei Piešťany-Mais nu hunderte Male geschaut, es hängt meinem Bett gegen über, wenn Morgensonne auf ihm liegt, leuchten Was ser und Weiß so verheißend, daß es scheint, als könnt das Leben noch einmal beginnen... Ein Flußbild, drei viertel des Bildes sind Fluß, so scheint es, dabei steh groß eine Mädchengestalt vor dem Fluß, sie steht i einem Kahn, von dem man nur die Randwölbung sieh im Innern ist Wäsche gehäuft, das Mädchen trägt eine weißen Rock, ein gelbes Jäckchen, und bindet, di Arme hinter dem Kopf, ein weißes Tuch um ihr Haar ein Zipfel des Tuches flattert, daß Wind ist, sieht ma auch an den Wellen im Fluß, auf denen weißliche Licht liegt. Ganz ferne Ufer, ein Dorf – aber das Bild is nur auf das Wasser bezogen und auf das Mädchen, das in sich lächelt, zu niemandem hin, nur in sich hinein – der *frische Tag* ist der Morgen des Lebens.

Das Bild ist in der nachimpressionistischen *sowjetischen* Malweise gemalt (ich sah im Lande ganz andere Bilder) – aber es rührt mich als *Erscheinung,* das Mädchen ist mir so lieb und vertraut, aber vor allem das bläuliche Weiß all des Leinens, in dem sich das Licht bricht wie auf dem Wasser: Solch eine Frische hat dieser Morgen, und ich spüre, daß das Mädchen wegen dieser Frische lächelt, wegen des scharfen Winds, der sie anpackt, und wegen der Kraft, die sie fühlt: fähig zu allem, so jung ist sie noch, und Leben ist noch die reine Verheißung von Glück... Schmerzlich: so war auch ich einmal und werde nie wieder so sein.

Wollüstige Doppelwirkung: Verheißung und Trauer, Glaube und Unglaube in einem, und ein Rätsel bleibt unser Gefühl, daß es so schwer hat, *synchron* zu gehn mit der Zeit, übereinzustimmen mit unserer Existenz. Jetzt fühlen schon meine Söhne ähnlich wie ich: daß ihre Jugend vorbei ist, daß nicht geschah, was verheißen war, sie spannen ihre Kräfte, um zu *gewinnen,* die Angst vorm Verlust beherrscht schon ihr Leben. Und in Erwin, der sein Leben gelebt hat, wie man zu sagen gewohnt ist, ist genau das gleiche Gefühl: Verheißung und Trauer – das kann nicht alles gewesen sein, das *Eigentliche* sollte noch kommen: der Augenblick vollkommenen Einverständnisses mit dem Leben. Daher seine Unbedingtheit, die Konzentration auf sein *Ich,* keine Hingabe an das der anderen, der Nachwachsen-

den, in seinem Gefühl ist auch er noch der Knabe, den
Leben verheißen war als Fülle von Glück – nicht al
Ablauf von Tagen, in denen gegen Widernisse ge
kämpft werden muß um *das Werk*.

Auch wenn wir jetzt nur über *Harmlosigkeiten* re
den oder über *Kunstfragen*, verstehe ich seine *Exi*
stenzprobleme, zu lange bin ich in ihn *eingelebt*, un
nicht zu wissen, was ihn im *tiefsten* bewegt. Bei alle
Verschiedenheit sind wir doch ähnliche *Welten*. Unc
immer wieder wandelt Zweifel mich an: darf ich ihn
Kraft entziehen, jetzt, da er durch Krankheit und Jahr
geschwächt ist, was ist das höhere Recht: die Bewe
gung meiner eigenen Welt oder die Stärkung der sei
nen: durch *Selbstverleugnung*, durch Verzicht auf Zei
und *Freiheit*, die ich doch brauchte, um unbefangen zı
sein für die Dichtung, die ja ein Seismograph ist, de
sich nicht willkürlich einstellen läßt: Meine Gedicht
verzeichnen genau den *Prozeß*, der in mir *verläuft*
verlaufen im Doppelsinn: Es wäre auch möglich, gan
zu verstummen... Ängstlich beobachte ich ihn, de
sich langsam, mit Rückschlägen, ein wenig erholt. Da
tückische Klima, der wütende Wind, das absurde Wet
ter in diesem Mai, das so anders ist, als wir es bisher er
lebten, zehren weiter an ihm, und der *innere Schutz*
den ich mir schreibend errichte, wird schwächer, ich
spüre das *Zittern* der Wände, gleich werden sie einstür
zen, und es wird wieder so sein: ich gebe mich auf unc
lasse meine Gedanken, meine Gefühle beherrschen vo
ihm.

Der Piešťany-Sonntag ist vergangen. Früh war es noch trocken, wir wollten versuchen, zum Stausee hinauszugehen – aber auf dem Deichweg warf uns der Wind fast um, wir gingen durch die engen Straßen der Altstadt, da staute sich drückende Luft, Erwin fühlte sich schlecht, wir mußten zurück ins Hotel, um neun schon wieder im Zimmer, das kalt war, also wieder ins Bett... Gegen Mittag kleine Aktivität, seit Tagen verschoben – ich schneide Erwin die Haare, nach dem Essen steige ich in die Wanne, um meine *Mähne* zu waschen, auch von Tag zu Tag aufgeschoben, ich habe den Fön vergessen, und das Haar braucht Stunden zum Trocknen, den ganzen Nachmittag liege ich herum und lese – mit meiner Lektüre bin ich dieses Jahr nicht glücklich, die Reclam-Kollektion, die ich mitbrachte, enthält nichts, was mich *anhebt* – was mir zu denken gibt, ja, – ich lese wieder in Rilkes »Malte«, bin wieder überwältigt von der Härte und Genauigkeit der Schilderung innerer und äußerer Welt – aber das *Leben* wird mir noch *zweifelhafter* durch die Lektüre... Ich entleihe von Erwin Alice Zuckmayers Buch »Die Farm in den grünen Bergen«, das ich vor Jahren las. Die Notierung der schlimmen Lebensumstände aus der amerikanischen Emigrationszeit der Zuckmayers (Auflehnung gegen die Umstände und Überwindung der

Melancholie durch zusätzliche Schwierigkeit, zusätzliche Arbeit) muntert mich auf: wie die ehemalige Schauspielerin und halb ausstudierte Medizinerin Alice Herdan sich auf die Geschichte des Mittelalters *wirft* und die Distanz zur nächsten Universitätsbibliothek selbst im fürchterlichen Vermonter Winter (fünfundvierzig Grad Frost, viereinhalb Meter Schnee) überwindet, um ihr *Ich* aufzurichten, sich eine Anti-Welt zu schaffen, die es ermöglicht, den Alltag auf der Farm zu bestehen, das ist *vorbildlich* und *schlägt ein.*

Es muß doch etwas dran sein, daß man nach *positiven Impulsen* verlangt, wenn man liest. Allerdings dürfen sie nur aus der Schilderung selbst kommen, nicht aus einer *Moral*, die der Autor dazugibt...

Beide haben wir wieder die »Wahlverwandtschaften« gelesen, mit ähnlicher Belustigung und Enttäuschung. Wie *simpel* ist die Handlung konstruiert, wie *gefällig* hat sich der Autor die Sache gemacht, wir, an *Realismus* gewöhnte, Leser staunen über die märchenhafte Ungenauigkeit, mit der das denkerische Modell von der chemischen Anziehung umgesetzt ist, über die Blässe der Sprache – welch ein Abfall von der Jugendkraft des »Werther«, da bebt sie vor Leidenschaft und Genauigkeit – wieviele Details erinnert man: das Vesperbrot, das Lotte den Geschwistern von einem großen *Laibe* herunterschneidet (die Kinder des Amtmanns essen trockenes Brot!), ein *Krauthaupt,* die Fahrt zum Ball über Land, das Gewitter, die Ritte Werthers am Morgen, bei Nacht – die *tödliche Liebe,* im »Werther« ist sie *bewiesen,* in den »Wahlverwandtschaften« wird sie behauptet, Ottiliens und Eduardens *Hinsiechen* ist weder klinisch noch künstlerisch überzeugend – und doch hat mich das Buch beeindruckt, als ich es zum ersten Mal las: als Studentin, in unserer *Zuflucht*, der Bibliothek des *Hauses der Kultur der Sowjetunion*, wo es warm war in jenen Nachkriegswintern und wo man in üppigen Sesseln auf prächtigen Teppichen, neben samtenen Portieren, saß. Wie viele Bücher habe ich da erstmals gelesen, es existieren noch Aufzeichnungen aus jener Zeit. Manche Sätze »Aus Ottiliens Tagebuch«, die auch in Goethes »Maximen und Reflexionen« stehen, habe ich wiedererkannt, ich hatte sie mir damals wortwörtlich eingeprägt und mich überhaupt nicht – wie jetzt – gefragt, was die *tumbe* Ottilie befähigt, solche Aufzeichnungen zu machen: »Man mag sich stellen, wie man will, und man denkt sich immer sehend. Ich glaube, der Mensch träumt nur, damit er nicht aufhöre zu sehen. Es könnte wohl sein, daß das innere Licht einmal aus uns herausträte, so daß wir keines anderen mehr bedürften.« Also hat sich, wie alles an mir, auch die Lese-Genuß-Fähigkeit verändert, vermindert, doch ist sie ja nicht absolut geschwunden, manches wirkt sogar stärker als früher. Zwischendrein habe ich rasch ein bißchen Tschechow gelesen, die Erzählung »Mein Leben« beeindruckte mich mehr als früher und unvermindert die »Langweilige Geschichte«, in der ein ähnlicher *Entfremdungsvorgang* geschildert ist, wie ich ihn erlebe, wie wir ihn erleben, aber die Erwin noch niemals fertig gelesen hat, weil sie ihn *langweilt.* Gescheitert bin ich mit Strindbergs »Am offenen Meer«, das mich rasend nervös macht wegen der breiten naturwissenschaftlichen Schilderungen und bei dem ich unentwegt das *Programm* des Autors durchscheinen sehe. Aber immer wieder lese ich in den Gedichten des Amerikaners Wallace Stevens, die ich im letzten November entdeckte – da sind Dinge mit einer Endgültigkeit ins Bild gesetzt, die schmerzt und Wollust erweckt: ein Stachel im Fleisch: wenn *überhaupt* schreiben, dann so... Dabei ist, wie das Leben, die Methode des Dichters nicht *übertragbar*. Aber Stevens' *Lebensmandel*, der süßbittere elfenbeinerne Kern unter Häuten und Schalen, muß wohl sehr ähnlich der meinen sein, war wohl von meinem Stamm, meiner Art, meiner Gattung... Der an sein *Versicherungs-Amt* geschmiedete Jurist, der *zweigleisig* lebende Dichter, der bis zum Tod im *Geschirr* war, nach Paris wollte und nie hinkam, nie über das südliche Florida hinaus von seinem nördlichen Connecticut her und der der Beschränkung seiner Existenz mit schweifenden Gedanken und springenden Bildern entkam: Das Große und das Kleine zusammenraffend, das Komplizierte auf den einfachsten Satz bringend:

After the final no there comes a yes
And on that yes the future world depends.
No was the night. Yes is this present sun.

Nach dem endgültigen Nein kommt ein Ja,
Und von diesem Ja hängt es ab, wie das Leben fortgeht.
Nein war die Nacht. Ja ist die gegenwärtige Sonne.

Dieses grandiose Gedicht, das zum Weinen einfach ist, hat den merkwürdigen Titel »The Well Dressed Man with a Beard«, »Der gut angezogene Mann mit Bart« und endet mit der aufrührerischen Zeile:

It can never be satisfied, the mind, never.

Er kann niemals zufriedengestellt werden,
der Geist, nie.

Der Titel deutet sicher Stevens Fähigkeit zur Mimikry an: dem »gut angezogenen Mann« hat wohl kaum jemand den Dichter angemerkt, der die Existenzfragen radikal stellt... Dieser Vizepräsident einer Versicherungsgesellschaft war sein Leben lang *innen* ein anderer und blieb der *außen* bis zu seinem Tod neunzehnhundertfünfundfünfzig. Vizepräsident einer Bank – da ist es vielleicht doch besser, Frau, Hausfrau eines Dichters zu sein und selber ein zweiter, ein Dichter.

Wie wir abhängen vom Wirken anderer, von ihrer unbedankten Beharrlichkeit! Was die Leser und Dichter unseres Landes (die Dichter vor allem) der »Weißen Reihe« des Verlages Volk und Welt verdanken! Wie viele Aufregung, Erschütterung, Erkenntnis, Brüderlich-Schwesterlichkeit! Manches ganz Kalte und Fremde auch, Lianengeschlinge und Schlangengeschlängel, preziöses Geklingel, aber anderes ganz einfach menschlich Wirkendes, wo immer die *Wurzel* gezogen ist aus einer Erscheinung, aus einem Gefühl. Wo Bild- und Gefühlsraum entsteht aus einer Wortverbindung, jene Magie, die rätselhaft ist und rätseln läßt, wieso entstand sie, wieso besteht sie? Warum ergreift uns ein bestimmter Text-Torso immer wieder, immer wieder mit dem Impuls, zu weinen? Warum nutzt sich das nie ab?

Heine — Anfangs wollt ich fast verzagen,
Und ich dacht, ich trüg es nie;
Und ich hab es doch getragen –
Aber fragt mich bloß nicht, wie?

Byron — Fare thee well and if for ever
Still for ever fare thee well...

Lebewohl. Und seis für immer.
Dann: Für immer lebe wohl...

Puschkin Я вас любил...

Ich liebte Sie. Die
  Liebe ist
Vielleicht noch nicht
  so ganz vorbei...

Verlaine La lune blanche
Luit dans les bois...

Der Mond weiß
In den Wäldern scheint.

Und fremd zwischen ihnen, wie aus Steinen gemacht,

Hölderlin Noch denket das mir wohl und wie
Die breiten Gipfel neiget
Der Ulmwald, über die Mühl,
Im Hofe aber wächset ein Feigenbaum.

Dieses »im Hofe aber wächset ein Feigenbaum« ist mir *Symbol* aller *Erinnerung* geworden, ich habe ihn, *fortzeugend,* aufgenommen in ein Gedicht, diesen Impuls aus Hölderlins »Andenken« mit dem berühmten Schluß: »Was bleibet aber stiften die Dichter«, der als Einzelzeile viel weniger merkwürdig ist als in der Strophe:

Nun aber sind zu Indiern
Die Männer gegangen,
Dort an der luftigen Spitz
An Traubenbergen, wo herab
Die Dordogne kommt,

Und zusammen mit der prächtgen
Garonne mehrbreit
Ausgehet der Strom. Es nehmet aber
Und gibt Gedächtnis die See,
Und die Lieb auch heftet fleißig die Augen,
Was bleibet aber, stiften die Dichter.

Nun hat mir also die *Weiße Reihe* einen neuen Dichter *zugefügt* – und siehe: Stevens wurde von Hölderlins *Gegensatz* zu dem berühmten Endsatz des »Andenken« beunruhigt: »...und wozu Dichter in dürftiger Zeit...«, denn die Dichter haben die *schlechte Gewohnheit*, zu ihren *großen Sätzen* auch immer die *kleinen Gegen-Sätze* nicht nur zu denken, sondern zu sagen – immer das Sowohl-als-auch, man kann sie auf keine optimistische Weltanschauung *vereidigen*, weil sie den Menschen im Ablauf der Zeit zu genau anschaun und die Welt in der Wandlung sehen. Wenn sie dennoch JA sagen, das Existierende rühmen, einen Sinn finden, so wie Stevens »gut angezogener Mann mit Bart«:

One only, one thing that was firm, even
No greater than a cricket's horn, no more
Than a thought to be rehearsed all day, a speech
Of the self that must sustain itself on speech,
One thing remaining, infallible, would be
Enough...

Ein Ding, das fest wäre, wenn auch nicht größer
Als der Fühler einer Heuschrecke, nicht mehr

Als ein Gedanke, den ganzen Tag gedacht,
ein Sprechen
Des Ichs, das sich an Sprache halten muß,
Ein Ding nur, das, unfehlbar, bliebe, wäre
Genug...

so steht dahinter eine Lebensleistung, eine Charakterstärke, die nicht nur in »spätbürgerlicher Epoche« verlangt wird, wie Klaus-Dieter Sommer in seinem Nachwort zu Stevens »Menschen, aus Worten gemacht« schreibt – nein, auch der »Dichter im Sozialismus« ist ständig von Negationen bedroht (und nicht nur in Piešťany mit seiner Verwirrung der Welten und Werte) – ich sagte es ja, ich mache es mir bewußt: Das von fremden Lebenslinien durchschnittene alternde Ich des Dichters mit seinen eigenen Schicksalen ist jener Sisyphos: immer wieder der Stein den Felsen hinauf...

Ich sprach von den Toten, aber das waren nicht alle in diesen Jahren... Der Dichter Paul Wiens starb, in meiner Postmappe bewahre ich seinen letzten Brief, den Ria, die Frau, die Freundin, für ihn schrieb im Interesse der Zeitschrift »Sinn und Form«, deren Chefredakteur er für nur wenige Hefte war. Er schrieb (sie schrieb) eine Woche vor seinem Krebstod: »Ich hoffe, daß ich bald aus dieser Quälanstalt rauskomme«, und zittrig steht drunter »Paul«, und einmal, vor zweiunddreißig Jahren, hatten wir beide einen Ersten Mai zusammen verlebt, zusammen auf der Demonstration, zusammen danach zum Essen, Hand in Hand, *vertändelt,* wie Kinder, und wir sprachen von Erwin, der noch in seiner Grodker Provinz, *vorm Absprung* nach Berlin, saß und den ich seit drei Monaten kannte, seit immer, für immer...

Koni Wolf ist gestorben, vier Wochen vor Paul W., von beider Erkrankung hatte uns Hermann Kant einen Tag nach meinem Geburtstag neunzehnhundertzweiundachtzig in der Küche der Berliner Wohnung erzählt (auf jenem Platz sitzend, an dem Achim Kynaß ein Jahr später zum letzten Mal saß), und er hatte auf seine, Kantsche, Art so davon geredet, daß ich dachte, Paul Wiens hätte eine *redaktionelle Dummheit gestiftet.* Er sagte: »Der Paul macht uns Sachen... na, und der Koni

Wolf auch...« Dabei war Hermann Kant, der so wie wir alle an Krebsangst leidet, erschüttert über das Schicksal der Freunde, seine *lässige* Rede täuschte uns nicht.

Wie vieles hatten wir in Jahrzehnten mit Paul erlebt, wieviele Metamorphosen seines persönlichen Lebens von weitem erfahren – und immer die *Konstante* der Arbeit, der *eigentlichen* des Dichters, um die sich allerhand *Nebenwerk* rankte: Filme und Fernsehen (Paul gab sich als berufsmäßiger *Unterhalter* und *Frager* aus), auch der Nachdichter Wiens hat den Dichter *erdrückt*, von dem ein zu schmales Werk blieb... Und doch: Wer hat Block nachgedichtet wie er?

Und mit Koni Wolf hatten wir eines der seltenen Feste unseres Lebens gefeiert. Akademie-Jubiläum, und wir alle hatten so über den Bildhauer Werner Stötzer gelacht, der uns den Gefallen tat und, Kompensation seines Kunst-Ernstes, den Clown für uns spielte: von Hosenkauf und Dorffeuerwehr erzählte und vorspielte, was er erzählte...

Wie waren wir im *Einverständnis* an jenem Abend, wie waren wir im *Leben* – Koni hatte seine Akademie-Präsidenten-Pflichten *absolviert* und war nun frei... Wen sah man da alles: Penderecki durchwandelte die Säle, Niemeyer-Holstein war da...

Das war noch in der alten Akademie am Robert-Koch-Platz, wo die Barlach-Ausstellung gewesen war, die ich mit Jakob besucht hatte. Noch ehe er zur Schule ging, war das: ein Wintertag, Schneeabend, und dann fuhren wir im Obergeschoß des Doppelstockbusses, der am Robert-Koch-Platz einsetzte, zweimal eine Rundtour in die Neubaugebiete beim Ostbahnhof, zurück zur Akademie und wieder zum Alex, zur U-Bahn. Die Bus-Fahrt war ein langer Traum der Kinder, die ja Dorfkinder waren, nur Jakob hat er sich erfüllt, Matti ist nie mit diesem Bus gefahren und beneidet den Bruder heut noch darum mit dem Gefühl: es war unrecht, denn Jakob war fünf Jahre jünger, ihm stand es nicht zu, aber Matti ging schon zur Schule und konnte nicht mit in die *Stadt*... Barlachs »Singende Frauen«, all seine Gestalten, die russische Bettlerin, Jakob begrüßte sie, er hatte sie im Jahre achtundsechzig, als er fünf war und wir mit Reso und Nana Karalaschwili, den georgischen Freunden, an einem Sommerfrühmorgen nach Güstrow fuhren, bei dem unwirschen Herrn S., der die Kinder nicht ins Barlach-Haus einlassen wollte, schließlich doch noch gesehen...

In diesem Akademie-Haus hatte ich einst eine kleine Rede zu Ludwig Renns Geburtstag gehalten, zum siebzigsten wohl, ich ganz jung, aber Renn war mir *wohlgesonnen* für das, was ich zu seinen Büchern schrieb – wie vieles, manches hatte sich da begeben, auch eines der letzten Konzerte Ernst Buschs, bei dem er immer den Text vergaß und seine Frau und die Freunde ihm *einsagen* mußten...

Eine andere *Schicksalslinie*, die unser Leben durchkreuzt: das *Verdämmern* von Freunden, die alt werden und ihr Gedächtnis verlieren und damit die Lust am Leben. Gegensatz zu dem *Sturz-Tod* von Paul, von Koni, von Achim, von Surab... Schreckliche Ahnung, daß es einem gehen könnte, wie es Anna Seghers erging, die ihre nächsten Freunde nur noch halbstundenweise erkannte und bei deren Weggang sich bei ihnen nach ihnen erkundigte: »Was macht eigentlich die J.?« Und die J. stand vor ihr...

Einmal erzählte ein Moskauer Freund: »Paustowski weint. Er verliert das Gedächtnis...« Unser wunderbarer Dichter Paustowski, der vom Gedächtnis lebte, dessen Erzählkunst Gedächtnis war...

Wir wissen nichts oder fast nichts über das Leben, weil alle das Bestreben haben, zu glätten, zu beschönigen, zu verschweigen und damit zu lügen. Nichts über das Drama des Geschlechts, dessen Schrecknisse die Heranwachsenden überfallen und das bis zum Tode andauert, nichts über die Einsamkeit der Krankheit, nichts über die Schwermut des Alters. Wohlerzogen sprechen wir in wohlabgewogenen Worten von unserer und anderer Existenz. Dabei geschehen die *Katastrophen* ständig neben und mit uns.

Wir, »bei uns im Sozialismus«, schweigen über Dramen und Schicksale der Menschen, weil es in unsere (so ehrenhafte) *Utopie* nicht hineinpaßt, daß das *Menschliche* so schwer beherrschbar ist, daß mit der Regelung sozialer Beziehungen das *Menschliche* seine *Schrecken* nicht verliert... Dabei kenne ich allein Hunderte Fälle, in denen Menschen vom Unglück *geschlagen* sind, und die *Gesellschaft* kann nichts dafür. (Man kann den *Staat* nicht für den Leukämie-Tod der Christa T. verantwortlich machen und nicht für die Konflikte, in denen ich umherirre, weil ich ebenso *Dichter* sein will wie Erwin und weil mein Gewissen nicht weiß: hab ich Schuld oder Recht...) Wir schleppen Ketten und Netze hinter uns her, lange Ursachenketten, wirre Beziehungsnetze – auch geschichtlich: wofür *unsere* Gesellschaft *kann*, ist viel weniger, als wir oberflächlich zu denken gewohnt sind: Eines finsteren Winterabends, als ich mir die zerstörte Synagoge in der Oranienburger Straße ansah, wußte ich, daß alles, was wir haben und dürfen, ein *Wunder* ist – die Rechnungen bleiben immer offen, wir bezahlen an ihnen unendlich ... So sind wir in alles verstrickt, unsere Ängste vor *der Bombe* kommen von anderen Bomben her ...

Das Grundübel unseres Lebens, die Dauer-Neurose, die wir durch Bewußtsein und Verdrängung beherrschen: ließen wir uns ganz auf sie ein, könnten wir nicht mehr leben, nicht mehr *produzieren* (nicht nur schreiben). Guter Glaube, Vertrauen in diesen Tag, daß er Zukunft enthält, trägt uns weiter. Wir planen für morgen und übermorgen ... Und Herr Professor Kanitscheider aus Wien hat es *wissenschaftlich* gerechtfertigt: es gibt einen *Pfeil*, der nach *vorn* weist, es gibt eine Richtung auf *Zukunft* (jedenfalls *hypothetisch*) ...

Das blonde, braunäugige Mädchen, das übrigblieb von den zwei Schwestern aus Neuruppin und das den Optiker N. im Mai neunzehnhundertachtzig gemeinsam mit dessen Frau im Auto abholte, lebt indessen nicht mehr. Es wurde im vergangenen Herbst von seinem Mann mit der Axt erschlagen. Ein *Kriminalfall* wie aus Fontanes »Wanderungen«, *Gruselgeschichte,* die von Neuruppin über Rheinsberg, Gransee bis Berlin *wogte*: sie hatte eine *mongoloide* Tochter und wollte sich nicht trennen von ihr, das war ein jahrelanger Ehe-Krieg, der Vater wollte, die Tochter sollte ins Heim, nun wollte die Frau die Scheidung, da erschlug der Mann sie und versuchte sich mit dem Luftgewehr zu erschießen. Am Grab stand die alte Mutter der beiden blonden, braunäugigen, lachlustigen Schwestern, die kein Glück gehabt hatten im Leben, obwohl jeder, der sie als Kinder sah, geschworen hätte: sie sind geboren zum Glück! Die alte Mutter stand da mit dem debilen Mädchen, das lallte, lachte und sang...

Ach, es sterben ja nicht nur Schriftsteller und Freunde, auch in unserem Dorf gab es schreckliche Tode, ein trauriger Mann wandelt am Sonntagabend hügelan, gefolgt von seinem fröhlichen Hund: Vier Wochen zwischen Krankheitsbeginn und Tod. Die

Frau haben wir schon als Schulmädchen gekannt. Am Freitag hat sie noch ihre Arbeit als Kindergärtnerin gemacht, am Sonnabend-Sonntag gewaschen für sich, die zwei Kinder und ihren Mann, am Montag in die Klinik, am Dienstag Operationsversuch, am vierten Montag darauf die Beerdigung auf dem Friedhof vorm Dorf, in der Senke zwischen Hügel und See. Unablässig rotiert, gebiert, verliert sich das Leben: in unserem Vorwerk Schulzenhof, das jetzt fünfzehn Einwohner hat (drei Kinder darunter, die in der Ausbildung sind) haben in *unseren* dreißig Jahren vierzehn Menschen gelebt, die inzwischen gestorben sind... Wir anderen sind deshalb Schulzenhofer, haben eine *Gemeinschaft,* weil wir uns, bis auf die eine, dem Witwer angeheiratete, Frau, an all diese Toten erinnern... Aber ich rechne *Zeit* nur von uns aus: die in Schulzenhof Geborenen rechnen viel weiter...

Merkwürdig wird mir mein neuerdings wachsender Widerwille gegen *Erfindung* in Literatur... Mit zunehmender Einsicht in die Schwierigkeiten *wirklichen* Lebens ziehe ich Bücher vor, die vom wirklichen Leben handeln: Briefe, Biographien, Bücher in der Ich-Form, bei denen der *Schleier* der *Kunst* so dünn ist, daß ich das wirkliche Leben durchscheinen sehe, die Subjektivität des Dichters läßt mich nach dem Selbst-Erfahrenen suchen. Mit Genuß etwa lese ich die Bücher der Natalja Ginzburg oder die kaum verwandelten Geschichten der Katherine Mansfield und Katherine Anne Porter, die Lebensromane und Erzählungen Paustowskis, Proust, Thomas Wolfe – es kann auch die nackte Selbstauseinandersetzung sein wie in Montaignes »Essais«. Die zeitliche Distanz macht nichts, die Elementarkraft des *Menschlichen* ist so stark, daß sie alles durchdringt, alles überspringt: Jahrhunderte, Nationen, *Stand* und Geschlecht. Die radikale Analyse: sein eigener Gegenstand und Bearbeiter. Der entschlossene Versuch, entschlossen die Wahrheit über *sich* zu sagen (und in welch einer Zeit) – glücklicher Zufall, daß ich den alten Dieterich-Band gegriffen habe in Erinnerung an frühe, in Jahrzehnten wiederholte, Lektüre, und daß ich das Buch hier aufgehoben habe als letzte *Reserve* – nun kommt es mir zugute, es war das, was ich brauchte, um JA zu sagen zu mir, zu meinem besonderen und dabei so allgemeinen Leben. Nun kann ich, mit diesem *Hinterhalt*, dieser *Höhle*, in die ich krieche in den Dämmerungen, auch den Tag wieder sehen, genießen – die *Harmlosigkeit* der ziellosen Gänge: über die Brücke zur Stadt, den Parkweg gradaus, an der Ecke in den Pavillon, wo es Joghurt gibt und Bryndza, den frischen Käse, fast Quark noch, aus Schafsmilch.

Ich liebe die Gerüche des Lädchens, das in drei Meter Breite rechtwinklig um einen Verkaufs-Tresen verläuft und zugleich Gaststube ist: ein paar Tische und Stühle im Fensterwinkel, ein hoher *Bar*-Tisch an der Wand: hier verzehren die Bäuerinnen Pfannkuchen mit Marmelade und Staubzucker oder, wenn sie es *herzhafter* lieben, wie meine Dorfgroßmutter es liebte: Räucherfisch und sauren Hering... Ein Alter und eine Alte stehn an der Bar, sie so klein, daß sie grad auf den Tisch hinaufsehn kann, er fast doppelt so groß. Miteinander haben sie ein Maß Bier und leeren es Zug um Zug... Die Bauersfrauen mit bauschigen Röcken, Schürzen und Hauben haben die Gewohnheiten und Gesten meiner Ur-Mütter, die ich auch an mir kenne (und bekriege): das Taschentuch in der Hand, die Handtasche auf dem Schoße, vorm Leib, wie ein zu schützendes Kind, und wenn sie überlegen, was sie kaufen wollen, legen sie den Zeigefinger gegen die Nase oder zwei Finger über die Lippen. Das sind Volks-Gesten, Volks-Haltungen. Eine kultivierte Großstädterin trägt die Tasche lässig am Arm oder über der Schulter.

Niemals knüllt sie ihr Taschentuch in der Hand, sie tritt nicht zögernd beim Kauf auf, sondern souverän...

Welt mischt sich auch hier. Wiener Damen kommen in den Laden nach Eis, nach Gebäck, ich kaufe Joghurt fürs Frühstück, in früheren Jahren war es mein Vergnügen, einen Becher Sauermilch (kyslé mlieko) zu trinken, aber die gibt es nicht mehr (immer und immer Wandel, Verlust), es gibt süße Milch und saure Sahne, aber eben keine Sauermilch mehr... Eigentlich aber komme ich wegen des einfachen, des billigen, des alltäglichen Lebens. Um zu schaun, wie die Dorf-Alten vor der Heimfahrt ihren Kaffee trinken mit Gemach und ihren Kuchen verzehren mit Achtung, oder wie junge Leute einen Imbiß um wenige Kronen verschlingen, auf dem Sprung ins Abenteuer, ins freudig wartende Leben...

Den Hunger nach Alltäglichkeit habe ich am heißesten verspürt, wenn ich in Krankenhäusern war. Bei meinem ersten Ausflug aus dem Waldkrankenhaus Mahlow, in dem ich im Sommer 65 nach einem mysteriösen Ohnmachtsanfall lag, hat mich das Herumstehen in einem Gemischtwaren-Laden, in dem es nach Kartoffeln, Hering und Seife roch, zu Tränen gebracht. Das ordinäre Misch-Aroma erschütterte mich, als wärs der Duft des Lebens selbst. Ich hatte eine solche Sehnsucht, wieder dabei zu sein, die primitivsten Dinge zu tun, zu fühlen, daß ich lebe! Nach diesem Ausflug kämpfte ich um *Freiheit*.

Dieser Ohnmachtsanfall, diese Krankenhauszeit warn eine Lebenszäsur. Erst damals begann ich wirklich, Gedichte zu schreiben. Anfallartig hatte ich es seit 1961 getan, aber unter dem Todesschreck der Ohnmacht verwandelte sich etwas in mir, ballte sich zum Kern. In Mahlow noch schrieb ich: »Nun hat der Holunder schon Dolden gesetzt...«, »Lupinenblau. So war doch was / in meiner Kindheit. War es Glas?...« Und ich schrieb »Kunsterspring« zu Ende, dessen Anfangszeile »Wie waren die Wälder finster...« ich auf einer Fahrt nach Schleiz im Herbst 63 gefunden und das ich im selben Winter in Schulzenhof fortgesetzt hatte, aber nun erst gelang das Gedicht (nein: dem Gefühl gelang es, Sprache zu finden, nicht: es gelang das Gedicht).

Der Drang zum Gedicht, diese Hysterie des Geistes, die eine Konvulsion des ganzen Organismus bewirkt (den Drang, sich umzustülpen, zu erbrechen), ist (bei mir) an die nackte Existenz gebunden. Äußerste Gefährdung, Zerreißen der Nerven vor der Unerträglichkeit alltäglichen Lebens und, darauf folgend, Wort-Flucht der Besiegten in die Alltäglichkeit als Rettung: das sich erneuernde Brot, das sich erneuernde Jahr als einzig sichre Konstante in allem Wandel, allem Tod, allem Verlust. Die einfachsten Dinge, die einfachsten Vorgänge als höchstes Symbol.

Mein Bruder Montaigne wußte, welch eine primitive und zugleich komplizierte Maschine der Mensch ist, und versuchte, sie, sich zu steuern aus der Einsicht in die Unzulänglichkeit heraus.

Das ist es, was mich die ganze Zeit beschäftigt: wie weit sind wir frei, uns zu verhalten? Wie weit sind wir durch Umstände, wie weit durch Willens-Veranlagung bestimmt?

Wie oft sagen wir von Freunden und Anverwandten: er sollte dies oder das tun, lassen, sich fassen, zusammenraffen, seinem Willen Geltung verschaffen! Und dabei wissen wir nicht: kann dieser, jener überhaupt wollen?

So studiere ich mich: was ich will, weiß ich nicht, oder, wenn mein Verstand es weiß, weiß mein Gefühl es anders.

Ich kann hinschreiben: die Liebe ist kein Halt mehr. Mein Verstand sagt mir, daß ich mich auf die äußere Welt richten und meine *Wollust* darin finden muß, ihre Erscheinungen in Worte zu übertragen – aber mein Gefühl weiß, daß ohne Liebe kein Licht in den Worten ist und die Erscheinung der Welt nicht aufscheint. Mein Gefühl weiß, daß alles, was ich mit Verstand mache, ohne Wert ist, weil ohne Geheimnis.

Neben mir liegt ein seltsames, nur mir verständliches Ding: eine zusammengerollte, verschnürte Plastetüte mit ein paar strohernen Stengeln darin. Reste von Blumen, die ich vor drei Jahren im Sommer pflückte, an der Böschung der Autobahn nahe Werder.

Wir waren, von Weimar, seit früh unterwegs, Juli wars, 35 Grad, mittags ein Uhr, Erwin fuhr genau die erlaubten hundert Stundenkilometer, wir eilten nach Schulzenhof, der Hitze zu entkommen – da machte das Auto sich selbständig, rechts die sechs Meter tiefe Böschung, Erwin hielt dagegen, hielt das Auto zurück, es drehte sich zweimal um seine Achse und kam auf dem Mittelstreifen, entgegen der Fahrtrichtung, zu stehen.

Der rechte Hinterreifen war geborsten.

Ich hatte während dieser Sekunden ein gläsernes Gefühl und dachte: jetzt, aber während der Drehung und danach hatte ich, die ich sonst zu Panik neige, nicht einmal einen beschleunigten Puls. Ich war vollkommen ruhig, aber mit dem Gefühl eines Wunders oder neuen Beginns.

Während Jakob, der mit uns gewesen war (unsere letzte gemeinsame Weimar-Fahrt, jedes Jahr, seit der Kindheit, waren Matti und Jakob im Sommer mit uns in Weimar, wenn wir beim Internationalen Germanistenkurs lasen), während Jakob das Ersatzrad montierte, pflückte ich an der Böschung den Lebens-Strauß, dessen Stengel nicht mehr ahnen lassen, welche Blumen er enthielt. Skabiosen, Labkraut, Natternkopf und Sauerampfer – ich weiß heut nicht mehr, was alles es war, aber es war ein reicher Strauß, da wuchsen viele Gräser-Blumen. Ich nahm sie mit als Gedenken und habe sie als Mahnung an das Beinah-nicht-mehr-Gewesensein immer mit mir. All die Fragen, die ich mir jetzt stelle, hätten nicht mehr gestellt werden müssen, meine letzten Bücher hätte es nicht mehr gegeben, und diese Aufzeichnungen wären abgebrochen, ohne ihren Sinn gefunden zu haben. Aber werden sie ihn überhaupt finden, kann ich ihnen einen Sinn geben? Hat es einen Sinn zu sagen: es zittert in mir eine Kompaßnadel, die ihren Norden nicht findet, um stillzustehen?

Fünfunddreißig Gedichte habe ich in zehn Piešťany-Jahren geschrieben, darunter mir wichtige wie »Petschora-Höhlenkloster«, »Bei Isbor«, »Lichthorizont«, »Ja doch«, »Jedan dan«, »Licht« (»Ich will mich versuchen im Sehen des Blinden«) – zweimal taucht Piešťany direkt auf (»Beschwerde über das Verstummen der Brunnen von Piešťany im Mai 1980«), dieses Jahr habe ich in »Piešťany« (»Nachts, wenn die Slowaken singen«) eine Wurzel gezogen aus dieser Sonderexistenz an diesem sonderbaren Ort... Vielleicht kommt es doch nur auf Zeugenschaft an, auf die Fähigkeit, die widerstrebenden (auseinanderstrebenden) Nerven zu bündeln, zu strählen in einer Richtung, damit sie fähig sind zum Erfassen der Sinneseindrücke, der Körperumrisse und ihrer Strahlungen?

Was habe ich aus Piešťany gemacht?

Habe ich die Düfte genügend gewürdigt? Den Nachtgeruch von Buchsbaum, der dem der Brennesseln gleicht? Den Abendgeruch der Bananenbäume nach einem vollen Sonnentag? Den Mittagsduft des Jasmins, der wie die Veilchen am hohen Tage am heftigsten atmet? Und der Morgenduft der Lilien? Und die dampfenden Seerosenteiche bei Kälte und Regen, über denen eine Dunstwolke walmt, die aus dem Quellwasser kommt, das auch bei den Teichen warm und schwefelig ist? Und die Morgenerscheinung der Seerosen, die sich über Nacht schließen und in der Frühe noch wie Speerspitzen (wie Zierspitzen von Fahnenstangen) aus dem Blattgrün spießen?

Hundert Meter hinter den Teichen, im Inselpark, dort, wo heute das »Balnea-Esplanade« steht, gab es vor Jahren einen seltsamen Pavillon, mit Keramikplatten verkleidet, ein runder fensterloser Bunkerbau, niedrig, mit flacher Dachwölbung, zehn Meter im Durchmesser. Manchmal war die Tür geöffnet, und es hantierten bärtige Jungmänner darin, an einer Anlage für elektronische Musik, die an Lichtimpulse gekoppelt war (Skrjabins Erfindung) – zu der heulenden Musik flammten schreiend farbige Glühbirnen auf, es hätte der Eingang zur Hölle sein können, wir standen und bestarrten das Wunder der Neuzeit. Damals fanden in Piešťany jeden Sommer »Welttreffen Licht-akustischer Musiker« statt – verschwunden der Pavillon, fast die Erinnerung, der Wandel, der Wandel, Schicht auf Schicht... Von den Mammuten bis zu uns.

Habe ich die Linie der Berge gezeichnet, ihre sanftblaue nahferne Wölbung?

Sind die gewaltigen Bäume auferstanden in meinen Worten? Ihre rauschenden Kuppeln, ihr Geflüster aus Grün und ihr Tosen im Sturm, ihr trostreiches Dasein in all diesen Jahren des Alterns, zehn Jahre Leben, meine einsame Wandlung nach innen, nach unten, gemessen an ihrer Gewalt und Größe, die dem Auge nicht mehr veränderlich scheint, und doch müssen auch sie gewachsen sein, nach innen, nach oben... Das pausenlose Rufen der Tauben und Dohlen und Krähen aus dem Düster der Kronen und herab von ihren Wipfeln aus Licht. Und die nimmermüden Möwen, die den Fluß überkreisen, stürzend und steigend, und manchmal am Brückengeländer stehn (schwarzköpfig, weißbrüstig, lichtgraue Schwingen) und ihr starres Auge in deines drehn...

Nein, ich sage den Ort nicht aus, er ist mir über, entzieht sich mir wie das Leben, das ich nur streife.

Manchmal jetzt geschieht es mir, daß ich ein Mädchen sehe, eine junge Frau, und plötzlich stockt mir ein Weinen in der Kehle – da geht das Leben, es ist kein Neid in mir, nur eine Trauer, für die es kein Zeichen in Sprache gibt, wenn man Symbole malen könnte, vielleicht, aber das einzige wirkliche Zeichen ist wohl dies unweinbare Weinen. Das Leben ist vorbeigegangen, ich habe es vorbeigehen lassen, das Leben ist jung und immer im Recht.

Vielleicht habe ich mich zu früh auf diesen Ort der Krankheit und des Alters eingelassen. In all diese zehn Jahre habe ich eine stereotype Zäsur gemacht, jeden Mai Piešťany!

Anstatt meine Kräfte zu versuchen an neuen Verbindungen mit der Welt. Von mir aus, wegen mir, wäre ich nie nach Piešťany gefahren, obwohl es ein altes Übel gibt, aus der Studentenzeit her, als ich nach einer Rippenfellentzündung Gelenkrheuma hatte – das gab schon einen medizinischen Grund, aber einen seelischen gab es nicht. Mein Streben ging anders hinaus. Ich wollte die Welt sehn, das Abenteuer; die Paustowskische Reiselust giert in mir, der Hunger nach neuer Versuchung.

So aber lebe ich zwischen den Ruhe-Polen Schulzenhof – Piešťany, das ist wie eine Plus-Plus-Schaltung, aus der keine Elektrizität entsteht. Licht, das ich entzündet habe, kam aus der eignen Substanz, die gering ist, ein Akkumulator, der sich entleert.

Aber Leben ist unwiderrufbar. Nun, da ich diese zehn Jahre Mai in Piešťany gelebt habe, ist der Ort in mich eingewachsen. Seine kindliche Zuckerbäckerarchitektur im geschäftigen Zentrum ebenso wie die stillen Gartenstraßen nach draußen, seine Parks, sein Fluß, seine Morgen, seine Mittage, seine Abende, alle die Menschen, die mich berührten (mit Händen) und die mich rührten (am Herzen) – sein Fließbandsystem im Gesundheitsgewese wie der Tagesrhythmus des Hotels, der mich pflichtloser macht und mich mir ausliefert mehr als daheim.

Ich bin schwer und möchte mich leicht machen. Das Geheimwort, das alles löst, ist in nächster Nähe verborgen. Manchmal hör ich es flüstern:

Ergib dich
Vergib dir
Mach Frieden
Es liegt nicht an dir
Es liegt nichts an dir
Wind spielt mit der Linde im Licht

ISBN 3-351-00289-0

3. Auflage 1990
© Aufbau-Verlag Berlin und Weimar 1986
Lichtsatz Offizin Andersen Nexö, Graphischer Großbetrieb, Leipzig III/18/38
Druck und Binden Karl-Marx-Werk, Graphischer Großbetrieb, Pößneck V15/30
Gesamtgestaltung Sonja Hennersdorf
Printed in the German Democratic Republic
Lizenznummer 301. 120
Bestellnummer 613 287 7
00920